破牢狩り

夏目影二郎始末旅

第一話　赤猫伝馬町《てんまちよう》

一

天保《てんぽう》十年（一八三九）一月十四日、まだ正月気分の漂う江戸の町に乾いた北西風が吹き荒れていた。

からからに乾いた江戸の町に火が出れば大火になる、そんなことを予感させる風が何日も続いていた。だれもが烈風が鎮《しず》まるのを願った。が、日が沈むとますます風の勢いは増した。

町火消いろは四十八組の頭領は鳶《とび》の者たちに夜回りをして、火に警戒せよと命じていた。だが、頭《かしら》の言葉にも鳶たちの返事にも今一つ気合が抜けていた。

この年の正月元旦、町火消恒例の出初式《でぞめ》が幕府の命《めい》で中止になった。火消の粋《いき》と度胸を競う出初式が華美になり過ぎたという理由からだ。町火消たちにはなんとしても納得し難いことであった。

「公方様《くぼう》もおかしいじゃねえか。おれっちはじゃあんと鐘がなりゃあ、命を捨てて火に飛びこむんだぜ。その火消の心意気を見せる出初めをやっちゃあいけないだと、聞いて呆れるよ」

ぼやいてみたがお上の威光には逆らえない。だが、不満は普段の務めをおろそかにした。

烈風は伝馬町《てんまちょう》の牢屋敷《ろうやしき》にも吹きつけていた。

二千六百七十七坪の牢舎《ろうしゃ》には東から二間牢《けんろう》、大牢《おおろう》、奥揚屋《おくあげや》、揚屋と並び、当番所をはさんで西の揚屋、奥揚屋、大牢、二間牢とつながっていた。

町奉行所の手にかかる罪人は東の大牢と二間牢に、女は奥揚屋に入れられた。

百姓牢とも呼ばれる大牢は間口十間（約十八メートル）に奥行三間。牢内の床板は栗、格子《こうし》は六寸角の赤松、外鞘《そとざや》三尺を隔てて杉の六寸角の外格子が囚人たちを娑婆《しゃば》から隔てていた。

「二番役、鼠《ねずみ》に声色《こわいろ》をやらせねえ」

牢名主の亀松が中座二番役の寅吉《とらきち》に声をかけた。すると寅吉が亀松の前に鼠の襟《えり》を摑《つか》んで引きずりだした。

鼠の久六は六日前に入ってきた新入りだ。浅草で無銭飲食を繰り返して町方に突き出された三十六、七の信州無宿である。鼠と呼ばれるだけに顔は黒く、背丈は五尺に満たない。前屈《まえかが》みの姿勢とあいまって貧相などぶ鼠を連想させた。

無銭飲食をしたあげくの牢入りだ。百叩きで追放される罪科《つみとが》でははばがきかない。それに金《つる》もないときてはいたぶられるのは目に見えていた。

鼠は牢入りした日に寅吉に脅されて、

「お目こぼし」

に艶《つや》ものの声色を演じてみせた。それは男と女の床入りを巧妙に演じ分けて、迫真の芝居で牢内の男たちを興奮させた。

「鼠、昨日の床入りはだれていたぜ。ちったあ、性根《しょうね》入れて演じねえと極《き》め板《いた》を痩《や》せた尻っぺたに食らわせるぜ」

情けない表情で満座に畏《かしこ》まった鼠の顔がふいに艶をたたえた女の顔に変わった。

その時、鍵役《かぎやく》同心が新入りを告げた。芝居は中断され、鼠はこそこそと仲間の後ろに隠れ、新入りを迎える位置に牢名主の亀松以下がいかめしく就いた。

外鞘に新入りが連れてこられて、

「南町奉行所預かり、神田無宿礼五郎二十九歳……」

と鍵役が声を張り上げ、

「おおっ」

と名主の亀松が応じた。

二番役の寅吉が大牢の御戸前口《おとまえぐち》に新入りを受けとると、

「花の吉原さておいて、永代島《えいたいじま》の全盛に、早や中町の尾花やで芸者幇間《ほうかん》にもてはやされ、やった揚句が汚ねえ仕事できたというか……」

といきなり脅し上げた。大抵の新入りは二番役の声で震え上がった。だが、御戸前口に平伏させられた礼五郎は平然として聞き流した。

「金《つる》は持ってきたか」

「へえっ」

二番役に代わって詰の隠居が度胸の座った新入りに一段と張り上げた声を上げ、

「これ新入り、娑婆じゃあなんというか、雪隠《せっちん》というか、よおく聞け……」

と新たな脅しにかかった。

「牢名主様に申し上げます」

端正な顔立ちの礼五郎は非情そうな双眸《そうぼう》をふてぶてしく光らせ、雪隠汚しの刑を説く詰の隠居を制し、

「直《じか》に話がございます」

と言い出した。

「つつの礼五郎……」

と牢内のどこかでつぶやかれたが、

「こやつ、ふてぶてしくもご牢内の決まりを押し曲げるか」

と息巻く寅吉らの声にかき消された。

「おれと話がしてえとな」

「へえ、名主様のお耳を拝借しとうございます」

礼五郎は満座の中を名主ににじり寄り、何事か告げた。すると亀松の顔に喜色が走り、

「中座、詰の隠居、地獄入りの儀式は明日まで預かりじゃ」

と牢名主の権限で中止させた。

壮年の亀松は博奕場《ばくちば》の諍《いさか》いから賭場《とば》を仕切っていた中盆《ちゅうぼん》を刺し殺し、壺振りらに大怪我を負わして入牢の身だ。八丈島遠島《はちじょうじまえんとう》が決まっており、貫禄も備わっていた。それでも牢内に重い不満が渦巻いた。新入りをいたぶる儀式は科人《とがにん》たちにとって楽しみの一つである。それを亀松が中断させたのだ。

翌日の昼下がり、牢名主の亀松が寅吉に、

「赤猫が舌をださねえうちに呼木《よびき》の用意をしておきねえ」

と命じた。外は今日も烈風が吹き続けている。

大牢の中にざわめきが広がった。

赤猫とは火事のことだ。ちろちろと燃える炎が猫の舌のように見えるところから、牢内では赤猫と呼ばれた。

「穴の隠居、聞いてのとおりだ。二分《にぶ》ばかり下げ渡してくれめえか」

穴の隠居とは囚人の諸役の一つ、牢内の共有の金を管理する役目を負うていた。

寅吉は二分を借り受けると、格子ごしに張番を呼んだ。牢奉行石出帯刀《いしでたてわき》の出の字を染め抜い

た法被《はっぴ》に股引《ももひき》を着た牢屋下男《しもおとこ》が面《つら》をのぞかせた。

「なんぞ用事か」

「へえ、張番様、ちょいとわっしの目に腫《は》れ物ができたようだ。お医師どのを呼ぶかどうか、まずは張番様が見てくんねえ」

「面倒なことを言いやがって」

張番が赤松の格子窓にしゃがむと寅吉の手が伸びて二分が懐《ふところ》に入れられた。

「出刃を借りうけてえ」

寅吉が潜み声でいい、張番が寅吉に、

「おまえの目を見るにゃあ、明かりがいるわ」

と当番所に姿を消し、直ぐさま引き返してくると、

「目の腫れ物はたいしたことではないのう。さようなことでお医師どのを呼べるか」

と言いながら、布にくるんだ出刃包丁を格子の間から差し入れた。

大牢の真ん中に空の水桶《みずおけ》がおかれた。

寅吉は出刃を使って手際よく桶のたがを切り放ち、桶をばらばらにした。板片になった木材に出刃をあてた寅吉は五分ほどの棒に割っていった。すると仲間たちが手拭いを細く割いた紐で棒を何本も縛って九尺の長竿に繋《つな》ぎ、その先端に古布団から綿を抜いて巻きつけた。これが呼木である。そんな呼木が十数本も出来上がると牢内を片付け、寅吉は再び張番を呼んで出刃

包丁を返した。

その夜も北西の風が伝馬町を吹きつけて通り過ぎていった。

四つ半（夜十一時）過ぎ、牢屋敷の北側にあたる小伝馬上町あたりで、

「火が出たぞ！」

の声とともに半鐘《はんしょう》の音がした。

何枚も重ねた畳の上にむっくりと起き上がった亀松が前日に入ってきた新入りの礼五郎の顔を見るとにやりと笑いかけた。

「野郎ども、赤猫の舌の根をしっかりと摑まえろい！」

寅吉に指揮された囚人たちが九尺の呼木を牢の格子窓からさらに三尺の外牢庭を通した格子窓から突き出し、

「赤猫様、こっちへ来られえ、おいでなせえ！」

と呼ばわりながら、古綿の先に火の子をとらえようとした。だが、囚人たちの願いも空《むな》しく火の手は牢屋敷から遠ざかっていった。東の大牢に虚脱の空気が漂いはじめたとき、寅吉が、叫んだ。

「赤猫様の舌、摑まえ申したぜ！」

「二番、放すんじゃねえぞ」

亀松の言葉に寅吉はゆっくりゆっくりと古綿に点《とも》った赤猫の舌を牢内に手繰《たぐ》り寄せた。

牢内では古布団の綿を抜き、赤猫の舌を移すと手をぐるぐる回して炎を燃え上がらせた。その上に古綿を積み、布団を重ねて、囚人服を脱ぎ捨てて扇《あお》いだ。

「赤猫様、床嘗《な》めてくんろ」

「天井に這い登ってくれめいか」

囚人たちの必死の願いが聞き届けられ、床に火が移った。

「張番様、ご牢内に火が入りましてございます」

亀松が呼ばわると牢内のあちこちから喚声《かんせい》が湧き、それが西の牢に移り、

「牢内火入りにございます」

の声が牢屋敷じゅうに広がった。

亀松はさらに囚人を呷《あお》って、騒ぎを大きくさせた。するとようやく鍵番同心が鍵束をじゃらじゃらと音立てながら、東の大牢から二間牢、奥揚屋、さらには西の大牢と開けていった。

名主の亀松は極め板を小脇にかいこみ、呼木に火をつけて二番の寅吉に持たせると牢庭に悠然と出ていった。すると他の牢の囚人たちから賞賛の声がかけられた。

牢奉行の石出帯刀が牢屋同心らを引き連れて姿を見せた。

「牢内火入り候う、行け行け!」

石出帯刀が慣例の言葉を告げると囚人たちは速やかに隊列を組んだ。

赤猫様を招き入れた東の大牢の二番の寅吉を先頭に極め板を小脇に抱えた名主の亀松、添役《そえやく》、

頭役、隠居役が行列をなした。

その前後左右を牢屋同心が警戒しつつ、牢屋敷裏門を出て、両国回向院《えこういん》を目指す。

死罪人が市中引き回しの帰路を逆に堀沿いに甚兵衛橋、幽霊橋と東北に進んで、流れに沿って直角に向きを南東に変える。亀井町を土橋まで進んだ一行は、旅人旅籠《はたご》が軒を並べる馬喰町《ばくろちょう》を一丁目から四丁目まで抜けて、浅草御門に出た。

番太が恐怖のまなざしを一行に向けた。

両国西広小路を西から南に抜けた一行は両国橋に差し掛かった。

長さ九十六間の橋を渡る囚人たちにようやく喜色が漂った。

もはや切放《きりはなし》の行われる回向院はすぐそこだ。

東の揚屋に入牢していた伊丹主馬《いたみしゅめ》は、肌を刺して吹き上げる川風を心地よく顔に受けると、暗い水面を見た。伊丹は勘定奉行所から伝馬町に送られてきた取り調べ中の罪人だ。行列の前後を見回すと、何人かに目くばせした。

先導役の寅吉は両国東広小路に足を踏み入れ、牢名主の亀松に、

「名主様、新入りにきっちりとご馳走を差し上げねえと罰があたりますぜ」

と囁《ささや》いた。

「二番、口を閉じねえ。大川に亡骸《むくろ》になって浮きてえか」

亀松にじろりと睨《にら》まれた寅吉は首を竦《すく》めた。

一行が回向院境内《けいだい》に入ると先行した牢屋同心、見廻同心らが待ち受け、先頭の寅吉より姓名を帳簿に記していった。この作業は一牢ごとに進み、西の女牢を最後に終わった。

石出帯刀が欲望と狂気にまみれた総勢四百五十二名の囚人たちの顔を睨み回し、

「牢火入りの為切放はお上の慈悲じゃ。三日後、昼下がり七つ（午後四時）刻限までに浅草溜へ訴え出よ。訴え出し者は罪一等を軽く申しつくべし」

と言い渡した。

「へえっ」

畏まった囚人にさらに牢奉行が、

「訴え来ぬ者あらばわれら草の根分けても探し出し、生き地獄を味わわすべし。さよう心得よ」

と脅しをかけた。

囚人たちが回向院から蜘蛛の子を散らすように娑婆に消えた。

切放になれば、三日三晩は江戸の町に傍若無人の嵐が吹き荒れる。

回向院を出た囚人たちはまず本所相生町《ほんじょあいおいちょう》の古着屋に押し入り、牢屋敷のお仕着せを着替えて身支度《みじたく》を整えるとすでに暖簾《のれん》を下ろし、火を落とした煮売酒屋の戸を乱暴に蹴り破った。そして店の者を起こすと酒、肴《さかな》を出すように命じ、酒宴を始めた。だが、これは小者のやること、牢名主以下の行動は違った。

亀松は諸役を集めると東広小路に店を構える両替商備後屋《びんごや》方《かた》を訪ねて、寅吉に大戸を叩かせた。

「もはや店終《みせじま》い、明日に願います」

という声を無視して戸を叩き続けるとしぶしぶ覗《のぞ》き窓が開いた。一行の異様に仰天する手代《てだい》に、

「伝馬町の牢屋敷より切放になった名主の亀松様以下、諸役の一行なり。手元不如意により金《きん》子《す》を借用したし」

と寅吉が申し入れた。

「ま、待ってくだされ」

覗き窓が閉じられ、手代が奥に消えると番頭が代わって顔を出し、

「今宵はこれにてご勘弁を一」

と切餅二つ(五十両)を覗き窓から差し出した。寅吉の手が切餅を持つ番頭の手首を摑んだ。

「備後屋ともあろう商人が切放に切餅二つとはけちくさい。牢名主様が小脇に抱えた極め板が見えねえか。ありゃこの世と地獄を結ぶ殺生板じゃ、一暴れさせようか」

とすごんだ。

「お、お待ち……」

番頭はもう一方の手に用意していた五十両を、

「主《あるじ》不在の折り、これにてご勘弁を願います」

と出した。

「主どの留守では仕方なし。今晩はこれにて退散致す」

寅吉が切餅四つを亀松に渡して、番頭の手をようやく放した。

「さて金もできた。品川にでも繰り出すぜ」

亀松が諸役に言うと切放を耳打ちした新入の礼五郎に、

「礼五郎、おめえにはだれよりも上等な女郎を抱かせるぜ」

と笑いかけた。

「名主様、恐れ入ります」

と顔を伏せた礼五郎が、

「品川に参《めえ》るのでしたら、船が楽でござんしょう。ここいらはわっしの馴染みの土地、屋根船なと都合致しましょう」

「さすがに気が利いていらあ」

礼五郎は亀松ら諸役七人を東広小路の北側に掘割られた運河へと案内していった。するとすでに駒留橋《こまどめ》下には屋根船が用意されて、小男の船頭が待機していた。

なんと手順のいい、と言いかける亀松に、

「待っておりましたよ、牢名主の亀松さん」

船頭の口から女の声色が流れて、亀松らは河岸に立ち竦んだ。

浅草三好町の市兵衛長屋にすでに初春の陽光が中天から差していた。

夏目影二郎はがたぴしと腰高障子を開けて、後架《こうか》に向かうと長々と小便をした。再び布団に潜りこもうかと考えていると井戸端がいつもより騒がしい。そちらに視線を巡らすと女たちも男たちも興奮した顔を揃えて、なにやら談義していた。そのかたわらには影二郎の飼犬、あかが加わっていた。

「まだ松の内とみゆるな」

「なにを呑気《のんき》なことを……」

首に綿の入った布を巻き付け、どてらを着た大家の市兵衛が輪の中から顔を覗かせ、影二郎の言葉に応じた。

「なんぞ天変地異でもあったかな、大家どの」

「あったどころじゃありませんよ。伝馬町の牢から切放だ。何百人もの極悪人が市中にあふれているんだ。どこの店も大戸を閉じてひっそり閑としていますのじゃ」

「昨晩、大火事がありましたかな」

「さてそれだ。牢内は半焼したらしいが切放になるものとも思えない」

「ともあれさ、わっしらぼて振り商売も駕籠《かご》かきも商売上がったりでさあ。江戸の町は人っ子ひとり歩いていませんぜ」

長屋の住民、青ものぼて振りの杉次がぼやいた。

「さっきから大家さんと鳩首《きゅうしゅ》会談だ。うちの長屋に押し入ってこねえともかぎらねえ。回向院からは橋を渡りゃ、すぐ三好町だ」

刃物研ぎの助三じいさんがいった。

「じいさん、その心配はあるまい。この界隈《かいわい》は札差百余人を始め、豪商が軒を連ねておられる。わざわざ貧乏長屋に押し入っても一文にもならんと思うがな」

雨漏り長屋ともいわれるぼろ長屋だ。

「ちげえねえ、旦那のいわれるとおりだ」

「そうだねえ、この界隈でも名代の長屋だ。入ってくる気遣いはないね」

下駄の歯入れ屋吉造のばあさんが言い、

「そうそう貧乏長屋雨漏り長屋と自慢げにいうこともないとおもうがね。夏目の旦那も人が悪いや」

と気分を損ねた大家の市兵衛がぷんぷん怒って家に戻っていったのをしおに、長屋の会議は流れ解散になった。

影二郎はもはや布団に潜りこむ気力は失せた。

「あか、切放がうろつく町に出てみるか」

犬に声をかけた影二郎は井戸端で顔を洗い、寝間着の袖で顔をぬぐった。

長屋に戻ると布団をくるくると丸めて部屋の隅に転がし、縞《しま》の袷《あわせ》に帯を巻いた。先反佐常《さきぞりすけつね》と異名を持つ法城寺佐常二尺五寸三分（約七十七センチ）の豪剣を腰に落とし差しにして、一文字笠を被ると南蛮外衣を肩にかけた。これで外出の仕度は整った。

どぶ板を踏む音に、

「旦那も物好きだねえ、わざわざ悪党のうろつく町に出ることもあるまいに」

歯入れ屋のばあさんが見送った。

浅草御蔵前《おくらまえ》通りに出るといつもは活気に満ちた札差の店々は大戸を閉じて、ひっそりとしていた。

影二郎は大川と平行した御蔵前通りを浅草黒船町、諏訪《すわ》町、駒形町と上流に向かって歩いた。駒形堂の前から三間町へ曲がった。すると料理茶屋からざわめきが聞こえてきた。

幕府の威光もなにもあったものではない。

わずか数百人の切放の囚人に江戸八百八町が乗っ取られていた。

牢屋敷は町奉行の支配下にあったが、牢内の秩序を保つために特有の習わしができた。それが町奉行の権限をこえて存在した。近火切放もその一つ、回向院から解き放ちになった科人には火事の大小にかかわらず三日の猶予《ゆうよ》が与えられたのだ。

町方はこの間、囚人たちの乱暴狼藉《ろうぜき》を黙って見ているしかない。

それもこれも徳川幕府二百年の幕藩体制の衰弱に他ならない。どこもがほころびを見せて、威令は地に落ちていた。

ふいに料理茶屋から裸足の小女が飛び出してきた。年は十四、五か。

通りの左右を見た小女は犬を伴った影二郎に目を止めると、裾を乱してこけつ転《まろ》びつ走ってきた。その後を三人の男たちが追ってきた。

「た、たすけてください」

小女は、影二郎の背後に回りこむと地面に這いつくばった。

背の毛を逆立てたあかが低い声で威嚇《いかく》した。

「さんぴん、伝馬町の牢を切放になった者だ。浅草溜に戻るまで三日間はお上が認められた放免日だ。女を渡しねえな」

「勝手な理屈じゃな」

一文字笠の下から影二郎は三人の面を見た。牢屋敷のお仕着せを脱ぎ捨て、どこぞで奪いとって着替えたにしては袷が汗じみていた。それに牢暮らしの人間とは思えないくらい顔が陽に焼けていた。

「そなたら、切放に便乗したか」

「なんだと」

「顔色が変わったところをみると図星か」

「しゃらくせえ、殺《や》っちまえ」

懐に呑んだ匕首《あいくち》を抜いた餓狼《がろう》たちが疾風《はやて》のように影二郎に襲いかかった。

影二郎は左肩に畳んでかけられた南蛮外衣の襟を右手で引き抜くと虚空に旋回させた。

三人の真ん中で長合羽の黒羅紗《ラシャ》の表地と猩々緋《しょうじょうひ》の裏地が広がって、裾の両端が二人の男の胸を叩き、額に打撲を与えた。さらにひねりを入れられた長合羽は残った男の首筋に巻きついて締め落していた。裾の両端に縫い込まれていた二十匁（七十五グラム）の銀玉が一瞬の軌跡を作り出していた。影二郎は小女を振り返ると、

「店には仲間が残っておるのか」

と聞いた。小女が青ざめた顔を横に振った。

「店に戻り、嵐が去るまで戸締まりをし直して息を潜めておれと主に伝えよ」

二

影二郎の祖父母の添太郎といくが経営する料理茶屋嵐山は金竜山浅草寺領西仲町の角地にあった。嵐山の名は添太郎の先祖が武州《ぶしゅう》比企郡嵐山生まれであったことに由来する。

嵐山は暖簾を下げ、表戸を閉ざしていた。

添太郎といくは一人娘のみつに婿《むこ》をとり、嵐山を継がせることを夢見ていた。だが、みつが客であった旗本三千二百石常磐豊後守《ときわぶんごのかみ》秀信と恋に落ち、添太郎らの夢はついえた。

秀信には本所に奥方鈴女《すずじょ》がおり、みつは下谷《したや》同朋町に秀信との家をかまえて、一子瑛二郎を生んだ。

瑛二郎は侍の子として育てられた。学問の手解きは秀信によって、剣は八歳から鏡《きょう》新明智《しんめいち》流《りゅう》の桃井春蔵道場で仕込まれた。

瑛二郎が兄や妹の存在を知ったのはみつが流行病《はやりやまい》で亡くなった十四の秋だ。

瑛二郎は本所の秀信の屋敷に引き取られた。だが、居心地のよいものではなかった。婿養子の秀信はおどおどと鈴女の顔色ばかりをうかがって暮らしていた。その上、兄の紳之助と折り合いも悪く、さらには継母の鈴女の嫌がらせにうんざりして祖父母の家に戻った。

そのとき、秀信がくれた瑛二郎の名を捨て、影二郎として生きることにした。だが、どうしても捨てきれないものもあった。

剣の道だ。「位は桃井、技は千葉、力は斉藤……」と称された桃井道場で頭角をあらわした影二郎は「位の桃井に鬼がいる……」といわれるほど技量が上達し、門弟中、影二郎に太刀打ちできるものはいなくなった。一方で酒、博奕《ばくち》、女と一通りの悪さを覚えた。

祖父母がくれる金と腕っぷし、浅草界隈では名の知れた遊び人になった。

二十三歳の春、影二郎は二代目の桃井春蔵直一に呼ばれ、

「道場の跡継ぎにならぬか」

と打診された。直一は娘との婚姻を望んでいた。その話に秀信がかかわっていることに影二

郎は反感を覚えた。

影二郎は桃井道場から遠ざかった。

父が影二郎の人生に介入してくることも煩わしかった。なにより影二郎には所帯をと誓い合った吉原の局女郎《つぼねじょろう》の萌がいた。

桃井との関わりを絶った影二郎は、父に反抗するように悪の道にのめりこんでいった。

香具師《やし》と十手持ちの二足のわらじを履いた聖天の仏七に騙されて、身請けされた萌が喉を突いて自害したとき、影二郎は仏七を叩き切って町方に捕縛《ほばく》された。仏七の悪行が考慮されて、三宅島遠島の裁きが決まった。

そんな折り、遠島送りの船を待つ身の影二郎の下に父の常磐豊後守秀信が訪ねてきた。

対面は牢奉行石出帯刀の役宅でおこなわれた。

秀信は無役から勘定奉行に就き、関東取締出役、俗にいう八州廻りを支配下に治める地位にいるという。

八州廻りを幕府が設置し、関八州の無宿者、渡世人などの取締まりを始めたのは文化二年（一八〇五）のことだ。八州廻りは寺社、勘定、町奉行三奉行の手形を持ち、幕府直轄領、私領の別なく捜査ができた。八州廻りは江戸周辺の代官所の手代などから抜擢《ばってき》された三十俵三人扶持《ぶち》、二十五両五人扶持の下役であった。

関八州をわずか八名余り、巨大な権限をもたされて取り締まるのだ。

誘惑も多い八州廻りは秀信が監督する地位に就いたとき、腐敗堕落して、機構は機能しなくなっていた。

秀信は腐敗した八州廻りに大鉈《おおなた》を振るうことを考えた。だが、秀信は荒技を振るうには不向きな人物であった。秀信を勘定奉行に指名した老中大久保加賀守は、秀信の手腕に期待したわけではなかった。大久保が懐柔し易い人物として秀信を推挙したのだ。

秀信は流罪に決まった影二郎を密《ひそ》かに獄から出して、不正を働く八州廻りの粛正を断行、一掃した。毒をもって毒を制しようと考えたのだ。江戸を支える関東を腐敗したままにして将軍家交替を画策しようとした大久保には計算外のことであった。

大久保の真意は別に、影二郎は気弱な秀信を手助けする影仕事に就いた。


あかの様子が一変した。

背の毛が再び逆立って異様な唸り声を上げようとした。

「あか、静かにせえ」

影二郎はあかを制止すると閉ざされていた白木の門扉《もんぴ》を押してみた。すいっと奥へ開いた。

玄関口に延びた敷石道に乱れた泥足がついている。

異変が嵐山を襲っている。

切放者か、それを真似た不届き者の仕業《しわざ》か。

玄関戸が強引にこじあけられていた。

影二郎は一文字笠を被ったまま、長身を屋内へと滑りこませた。三和土《たたき》に雪駄《せった》を脱ぎ、素足で式台に上がった。すると女の悲鳴と老人の抗議の声が交錯した。

女の声は若菜だ。萌の妹である。

老人のそれは祖父の添太郎の声だ。

影二郎とあかは廊下を音を忍ばせて進んだ。その間にも若菜の抗《あらが》う泣き声が響いてきた。

影二郎が広間の前で止まるとあかも身構えた。

障子を静かに開けた。

広間では六、七人の切放たちが嵐山の家族や奉公人を集め、酒宴を繰り広げていた。

満座の中では頭分か、髭面の切放の一人が若菜を押さえつけて凌辱《りょうじょく》しようとし、添太郎が必死の形相《ぎょうそう》で阻止しようともがいていた。

それをみて仲間たちが馬鹿笑いをしていた。

影二郎は一文字笠の骨の間に差しこまれた唐《から》かんざしの珊瑚玉《さんごだま》に手をあてた。

低い声に広間の視線が一斉に影二郎に向けられた。

「無法は許さぬ」

若菜を組み敷いていた切放が飛びおきると、殺気立った双眸《そうぼう》を影二郎に向けた。

袷の裾が乱れて褌《ふんどし》まで見えた。

どこで手に入れたか、長脇差を手にした仲間も影二郎に飛びかかろうと身構えた。

影二郎の珊瑚玉にかかった手がひねられ、一条の光になって乱暴を働こうとした切放の血走った右目に突き刺さった。

柄を両刃に鋭く研がれた唐かんざしは萌が自害して果てたとき、使ったものだ。

「げえっ！」

唐かんざしを目に突き立てられた切放者は両手で顔を押さえて絶叫すると、その場に尻餅をついた。すると広間に血が振り撒《ふま》かれた。

「やりやがった！」

「何者だ！」

影二郎の手が肩の南蛮外衣の襟に再びかかった。

得物を手に立ち上がった切放たちを長合羽の疾風が襲い、倒れこんだ男たちの脛《すね》にあかが齧《かぶ》りついた。

二年半前、利根川の河原で影二郎が拾った子犬はすでに体重五貫（十九キロ）余りの成犬に育ち、顎の力も強かった。

「痛てえ、放せ！」

切放が悲鳴を上げた。

「瑛二郎か」

添太郎が喜声を上げた。

「瑛二郎様」

若菜は慌《あわ》てて着物の乱れを直しながらも安堵《あんど》の様子を見せた。

南蛮外衣を手繰り寄せた影二郎は座の中央に跳ぶと目玉に唐かんざしを突き立てられ、転がり回る切放から唐かんざしを抜きとった。すると顔を押さえた手の間からさらに激しく血が流れ出し、男はくたくたと気を失った。

「切放は牢奉行のお指図、異は唱えん。じゃが、江戸の町で無法は許さぬ」

倒れこむ仲間の切放らを睨むと、

「こやつを連れて早々に退散せえ」

と命じた。


およそ四半刻（三十分）後、影二郎は落ち着きを取り戻した嵐山の居間に座していた。

「いやさ、若菜を汚されたとあっちゃあ、瑛二郎、おまえに顔向けができなかったよ。ようも戻ってくれた」

「じい様、日頃の信心のおかげだね」

祖父母の添太郎といくが涙を浮かべて突然戻ってきた影二郎に言った。

「虫の知らせといいたいが、あかが引っ張ってきたのさ。礼はあかにいってくれ」

「ああ、今日はおいしいめしを作ってしんぜように」

あかは若菜に連れられて何度も三好町の長屋から西仲町の嵐山まできたことがあったのだ。晴れ着に着替え、化粧をし直した若菜が居間に入ってきた。

「瑛二郎様……」

まだ涙が光っていた。

「若菜、ひどい目に遭ったな」

影二郎はまぶしそうに若菜を見た。若菜の恥じらいの顔に萌の面影を見たからだ。

嵐山に萌をつれてきたのは影二郎だ。みつを失った添太郎といくにとって今や若菜は生きがいになっていた。

「切放があったというでな、今朝方から戸締まりを厳重にしていたのじゃが、あやつらの一人が塀を乗り越えて門を開き、玄関戸を持ち上げるように外して入ってきおった。あっと言う間のない出来事でどうなることかと思ったわ」

添太郎が言い、いくが、

「瑛二郎、切放が伝馬町に戻るまで家にいておくれ」

と頼んだ。

「あかと一緒に日頃の無沙汰の穴をうめるとしましょうか」

影二郎の言葉に若菜の泣き顔がほほ笑みに変わった。

伝馬町の牢に影二郎を訪ねた秀信は別室に若菜を伴っていた。

秀信に若菜と会わせられたとき、影二郎は萌が生き返ったかと錯覚したものだ。

武州川越《かわごえ》城下の浪人赤間克乗の娘であった萌は、影二郎にも家族のことを話さなかった。

萌が吉原に身を売ったのは病気に喘《あえ》ぐ父を治療させ、極貧の家族を救うためだ。そのことを知っていたのは妹の若菜だけだった。

突然萌からの便りが消えたのに不審を抱いた若菜は江戸に出てきた。そして姉から告げられていた影二郎の実家の嵐山を訪ねて、姉の死と影二郎が仇を討って牢獄にいることを、近々三宅島に島流しにされることを添太郎から知らされた。

「瑛二郎様をお救いする道はございませぬか」

若菜は必死に添太郎に食い下がった。

迷いに迷った末に添太郎は、瑛二郎の父が勘定奉行の常磐豊後守秀信であることを告げたのだ。影二郎は放蕩《ほうとう》の末に人殺しに堕《お》ちたことを秀信に告げぬよう添太郎に口止めしていたのだ。

若菜は一縷《いちる》の望みを秀信に託して行動した。

影二郎の入獄を知らされた秀信は、思案に思案を重ねた末に牢奉行石出帯刀を訪ねた。

三百俵十人扶持の牢奉行は石出家の世襲、旗本直参《じきさん》の中でこれほど卑しめられた職制もない。不浄役人として他の旗本との交流さえ絶たれ、娘の婚姻もままならなかった。

秀信はその石出に頭を下げて、囚人一人をこの世から消そうと試みた。が、石出に目をつぶらせる手は知っていたが、瑛二郎を説得する自信がない。そこで若菜を牢屋敷に伴ったのだ。

「瑛二郎がうちに住んでくれるともっといいに」

いくが愚痴った。

「それをいうでない、ばば様」

とたしなめた添太郎が、

「本所の殿様はどうしてなさる」

「近ごろ、沙汰なしです。それにこしたことはありませぬ」

勘定奉行職は四名、二人が公事《くじ》を残りの二人が勝手方《かつてかた》をおよそ一年交替で務める。腐敗がおきぬように考え出された制度だ。

最初、公事方に就いた秀信は八州廻り差配《きはい》から幕府の財政を司る勝手方に務め替えして、代官領などの幕府の徴税などに関わっていた。

ともあれ、影二郎への連絡がないということは、不正腐敗が秀信の周辺におこっていないということ、まずはめでたいことであった。

「瑛二郎様、お昼は……」

「まだ朝からなにも食してはおらぬ」

「まあ、それはいけませぬ」

女たちがうれしそうに台所に立っていった。

居間に添太郎と影二郎が残った。

「そなたは本所の殿様の役所を手伝っているそうじゃな」

「一度は島送りと決まった人間です。表立っての奉公はできませぬが、私のやれることをやろうと思います」

うなずいた添太郎が思いがけないことを言い出した。

「殿様は城からの帰りにしばしば立ち寄られてな、そなたのことを自慢していかれる」

「なんと父上がそのようなことを」

秀信は常磐家に婿養子に入ったせいで鈴女に頭が上がらず、屋敷内では生彩がない。

だが、勘定奉行職二年半余の実績が秀信を変えようとしていた。なにより老中《ろうじゅう》水野越前守忠邦《ただくに》が秀信の後ろ盾になったことが自信を持たせた。

老中の水野は勘定奉行の倅《せがれ》が果たしてきた影仕事を聞き知ると、無宿者影二郎の入牢の記録と裁きの書類を抹消させた。それはとりもなおさず影二郎が秀信の影として働くことを意味していた。

添太郎が遠くから聞こえてくるいくと若菜の声に耳を傾け、

「若菜がわしらによう尽くしてくれる、まるでみつが生き返ったようじゃ」

と涙ぐんだ。

その刻限、勘定奉行常磐豊後守秀信配下の監察方菱沼《ひしぬま》喜十郎は、両国東広小路の番屋にいた。土間に敷かれた筵《むしろ》の上に七体の死体が並んでいた。

菱沼は伝馬町の牢屋敷において切放が行われ、その最中に切放者の七人が惨殺されたという町方からの通報に東広小路まで出向いてきたのだ。

菱沼は止《とど》めまで刺されて殺された死体の中に目当ての者がいないことに不安と安堵の複雑な思いを抱いていた。それにしても非情残酷な殺しだった。

「東の大牢の名主亀松以下、諸役の者たちでしてな。揚屋敷に入るような輩《やから》じゃありませんや」

本所一帯を縄張りにする十手持ち、日暮らしの岩三郎《がんざぶろう》が勘定奉行所からの監察方に言った。岩三郎の旦那の南町奉行所の定廻《じょうまわり》同心牧野《まきの》兵庫《ひょうご》と菱沼は旧知の仲だ。その牧野もきびしい顔で番屋に姿を見せていた。

悲惨なのは牢奉行の石出帯刀だ。朦朧《もうろう》とした青い顔で番屋の板の間にへたり込んでいる。それはそうだろう、切放の七人が回向院近くの駒留橋の船着場で惨殺されたのだ。

前代未聞のことであった。

岩三郎親分に頷《うなず》いた菱沼は番屋の外に出た。

すると牧野も続いて顔を見せた。

牧野も菱沼も初老に差しかかり、町方、勘定奉行と部署は違っても老練な探索方として相手を認め合っていた。

「なにかいわくがありそうじゃな」

「石出様は事と次第によっては腹をかっさばいてもすむめいよ。もっとも石出の跡目を継ぐ直参などいねえがねえ」

伝法《でんぽう》な口調で牧野が応じた。

「知っていることを教えてくれまいか」

「菱沼どのが出張ってくるのもちとおかしい」

「そのことはあとで話す」

「切放の火を摑まえたのは殺された亀松以下、東の大牢の頭分だ」

「同じ牢仲間か、おもしろいな」

「一昨日、亀松の大牢に新入りが入った。だがな、新入りをいたぶる儀式を亀松が中止させている。どうやら、こやつが近火切放を亀松に伝える役目を負っていたと思える」

「昨晩の火事は牢内に火をいれる偽装の火事といわれるか」

「たしかに火は出た。だがな、どこもが大した火事にならずにすんだのだ。ところが牢内には赤猫が入りこみ、牢を半焼させやがった」

「牧野どのは切放がなんらかの企てをもって計画されたものと考えておられるか」

「でもなきゃ、どうして亀松ら牢内に赤猫を入れた連中が殺されるんだ。それも七人もだぜ」

「口封じ……」

「……まずな。ところで勘定奉行所が気にする話はなんだ」

「牧野どの、そなたの話を聞いておきながら心苦しいが、浅草溜の戻りの日まで待ってくれまいか」

「菱沼どのもちとずるい。じゃが事はそれほどに重大とみた。よかろう、浅草溜で必ずだぜ」

「約定《やくじょう》はたがえぬ」

菱沼は牧野に別れを告げると七人の斬殺《ざんさつ》体が放置されていた駒留橋に廻り、しばらく思案した後、両国橋を渡って浅草三好町に足を向けた。

市兵衛長屋には目当ての主はいなかった。

井戸端でおしゃべりをしていた女たちが菱沼の姿に目を止めて、

「夏目の旦那かえ、切放にひっそり閑とした町を見にいくとか、あかを連れて出かけられたがな。待つのなら部屋に入っていなせえよ」

菱沼は女の言葉に従った。だが、待てど暮らせど影二郎は帰る気配がない。

「旦那、ひょっとしたらさ、若菜様のところじゃねえかね」

と隣りの壁越しにおはるの声が聞こえてきたのは夕げの時刻だ。

菱沼は立ち上がると壁に叫んだ。

「嵐山をうっかりと忘れていたわ」

「切放に気をつけなせえよ」

おはるの声を背に長屋を出るとすでに薄闇が訪れていた。

三

勘定奉行所監察方菱沼喜十郎が嵐山を訪ねてきた時、夏目影二郎は祖父の添太郎とひさしぶりに酒を酌み交わそうとしていた。

「おお、これはめずらしき人物が」

「突然お邪魔して申しわけございませぬ」

「火急なお呼びか」

「いえ、お奉行のお指図ではございませぬ」

「ならば一緒にな、酒など飲みましょうぞ」

喜十郎が恐縮しながらも座に就いた。

「おこまどのはお元気か」

娘のおこまのことを聞いた。

喜十郎とおこま親子は、秀信が影二郎を助けるためにつけてくれた探索方であった。

これまで親子と影二郎は死線を超える戦いの中、信頼関係を作り上げてきた。

おこまは飛驒《ひだ》において敵方に捕縛され、半死半生の拷問をうけて影二郎に救い出された。そして数か月の治療の後、ようやく体を回復させたところだ。

「はい、今しばらく床についていてくれたらと思うほど箸の上げ下げにもうるさくて敵《かな》いませぬ」

菱沼が笑った。

「女はどこも一緒じゃ」

添太郎がいうのを若菜が聞きとがめ、

「じじ様、その女とはどなたのことでございますか」

と質《ただ》した。

「ほれ、みろ。すぐに反撃が飛んでくる」

添太郎の本音とも冗談ともつかぬ嘆息に一座の者は笑い合った。

嵐山では影二郎が戻ってきたうえに来客まであった。それがうれしくてしょうがないのだ。そんな賑やかな夕食が終ったとき、添太郎らは影二郎と菱沼二人を残して座敷から去った。

「話を聞こうか」

茶を喫した影二郎が菱沼に視線を向けた。

「切放になった者の中に勘定奉行所の管轄の者が一名混じっております。御勘定所道中方伊丹主馬にございます。伊丹が伝馬の牢入りした理由を説明するまえに道中方の職制をお話しいたします。勘定奉行所とは別に、幕府には老中と若年寄の勝手方の下に御勘定所がございます……」

御勘定所は御殿勘定所が御殿詰、勝手掛に分かれて城中の諸々を担当、今一つの下御勘定所が帳面方、伺方、取箇方《とりかがた》に分かれているという。道中方は取箇方が分掌する一掛りだが、

「公事方、勝手方、道中方……」

と三つに大別されるほどに道中方は重要な部署と菱沼はいった。

道中方の長である道中奉行は、複雑な分掌から大目付と勘定奉行が兼帯したが、城中では大目付上位と考えられていた。だが、平時である天保期、道中奉行の実務を勘定奉行所道中方がみてきた。

最高監督者は大目付、管理は勘定奉行という複雑な道中奉行の実際は、道中奉行の下僚である道中方が掌握してきたのである。

「このように道中奉行の実権はどこにあるのか分からないほど複雑な機構にございます」

複雑に職権を分掌して互いを監視させるのは徳川幕府の特徴とも言える。

「ともあれ五街道の監督を始めとする行政を道中方が掌握し、それを勘定奉行が監督してきたとご理解くだされ。さて、夏目様……」

と菱沼は影二郎のことを丁寧に呼ぶと、

「先月のこと、道中方組頭佐竹吉勝が組屋敷で自刃《じじん》いたしました。役所内で道中方に不正あり

と噂が流れた直後のことにございます。佐竹は道中方組頭に一年前に就任したばかり……」

「不正の事実はあったのか」

影二郎が探索方に聞いた。

菱沼は首を横に振り、

「われらは佐竹の自刃まで道中方になにか不正があったなど一切把握しておりませんでした。それに噂の出所がどうやら勘定奉行と道中奉行を兼務する大目付秋水左衛門丞《あきみずさえもんのじよう》様周辺……」

「遺書はどうか」

「ございましたが、ご迷惑をかけたと記しているばかりで、いかなる不正に関わったのか記述しておりませぬ。われらは初めて佐竹の死後、道中方の帳簿を調べることになりました。最初の調べでは不正があったことをつき止められませんでした。いえ、簡単な調べでことが判明するほど甘くはありませぬ。それほどに道中方の担当は広範囲にわたっております」

「佐竹はまだ職に就いて一年と申したが人物はどうじゃ」

「事務方を務めてきただけに小心と思えるほどに正直者にございます。それがようも割腹などできたもので……」

首をかしげた菱沼は、

「問題の伊丹ですが、佐竹の下で実質的に道中方を切り盛りしてきた人物にございます。父親もさらに祖父も道中方を務めてきた一家、それだけに道中方の任務の裏表をそらんじている生き字引と申してよい。われらが伊丹主馬に目をつけたのは、組頭の佐竹が不正を働いたとしたら、伊丹が知らぬはずはないと考えたからです。実際道中方は伊丹なしでは事務が滞《とどこお》ります。そんな折り、道中奉行を兼務する秋水様の手下の探索方与力が動かれて伊丹を捕縛した。われらは先手をとられたのです。秋水様は中山道《なかせんどう》浦和宿《うらわしゅく》の問屋から贈られた些細《ささい》な付け届けの品を理由に伊丹を引っ張ったのです。その調べの最中にこの切放が発生したのでございます、夏目様」

「伊丹はなにか吐いたであろうか」

菱沼は小さな吐息を洩らし、大目付配下の知り合いに手を回した、と言った。

「その結果、判明したことがございます。伊丹が捕縛された一件で浦和宿の問屋からの付け届けの品は酒切手にございます。伊丹はこの切手を酒に換え、道中方の寄り合いで飲んだ。懐に入れたものでもなし、盆暮れの慣習にすぎないと堂々とした態度にございましたそうな。大目付探索方にはそのような嫌疑で取り調べるなら、役職に就く旗本直参はすべて捕縛せねばなるまいと息巻く方もおられたとか」

菱沼が苦笑いした。

「だが、そなたはそうは思っておらぬ」

頷いた菱沼は、

「先をこされたわれら勘定奉行所では、お奉行にお断りしてここ十数年からの道中方の帳簿を調べ直す最中にございました。するとちと奇怪なことを見つけました。五街道の宿駅ではしばしば不正な物品が発見され、没収されることがございます。例えば南蛮から持ち込まれた禁制品の薬や皮、工芸品、反物など。さらにはその土地特産のものが管理する役所を経ずして街道に流れたものなど、年間に何千何万両もの没収品が換金され、幕府の歳入として組み入れられるのでございます。それが十数年も前の文政《ぶんせい》十一年ごろよりわずかずつ減少して、ただ今ではかつての五分の一ほどに減っている。道中方の取締まりの成果と考えられなくもない。ですが、物品の交易は十数年前より今のほうが断然多い」

「おかしいな」

「で、ございましょう。このことはまだお奉行にも申し上げておりませぬ。今一度帳簿を精査して、伊丹主馬の身柄を勘定奉行所に呼び、問い質そうと考えておりましたところです」

菱沼はそう言うと冷えた茶を啜《すす》った。

「伊丹とはどういう人物か」

「なにを問われても弁舌さわやかに答えて一分の隙もございませぬ。目から鼻に抜ける能吏《のうり》といってようございましょうな。道中奉行には牢屋敷はございませぬ、そこで伝馬町の西の揚屋か二間牢に調べの最中も収獄される習わしにございます。たいていの者が牢屋敷に入れられただけで気力を失います。が、伊丹は一向にへこたれた様子はございませぬそうな。私も調べを見せてもらいましたが、巧みな口をどう申してよいか。のっぺりした顔の背後にどす黒い不気味さを隠しているような気がしましてな」

「喜十郎、そなたの心配が杞憂《きゆう》に終わるかどうかは明後日の浅草溜で判明しよう。伊丹が無事に戻ればおそらく伊丹は白……」

菱沼が首肯すると、

「夏目様、明後日、浅草溜までご足労を願えませぬか」

「むろんかまわぬ」

浅草溜は金竜山浅草寺の北に位置する吉原遊郭との間に二つあった。

一つは浅草溜を監督する非人頭の車善七《くるまぜんしち》の居宅で、間口二十間（約三十六メートル）、奥行は四十五間（約八十一メートル）の広大な屋敷が吉原に接して存在した。その車の居宅と浅草寺の中間、浅草田圃《たんぼ》の中に車善七の居宅と寸分違わない浅草溜があった。

溜のはじまりは、未決囚の病人を収容する場であった。後年になると島流しに決まった流罪人は浅草溜で島通いの船がくるのを待った。

車善七は徳川幕府の刑罰執行の闇の部分に深く携《たずさ》わった者で処刑人の死体の始末など汚れ仕事に係わった。

この車善七を支配下においたのが関東八州の一万戸におよぶ長吏《ちょうり》、座頭《ざとう》、猿楽《さるがく》、陰陽師《おんみょうじ》など二十九職を束ねた長吏頭の浅草弾左衛門であった。

弾左衛門も善七も徳川幕藩体制を闇で支えてきた功労者たちだ。

影二郎は無頼に走った時代に浅草弾左衛門と知り合い、交流を重ねた仲だ。

影二郎が秀信の力で牢屋敷を出た折り、影二郎は弾左衛門だけには挨拶した。すると弾左衛門はなんの疑問も発することなく、渋を塗り重ねた一文字笠を贈ってくれた。

それは長吏頭の息がかかった善根宿《ぜんこんやど》や流れ宿を自由に使える、路上を流れ歩く人々の間の通行手形であった。

「安心しました」

影二郎と弾左衛門との親交を知る菱沼喜十郎はそう答えると立ち上がった。

「切放が横行しておる。今宵は泊まっていかぬか」

「監察方が切放を恐れていては商売になりませぬ。それに切放よりもうるさい娘が待っておりますでな」

そんな菱沼を添太郎らも引き止めた。が、初老の勘定奉行所監察方は寒風が吹き抜ける町に姿を没していった。

影二郎は、階下の座敷に敷かれた布団に寝た。

眠りに就いて半刻（およそ一時間）後、影二郎は階段がきしむ物音に目を覚ました。

障子が引き開けられ、若菜の寝化粧をした顔が有明行灯《あんどん》のおぼろな明かりに浮かんだ。

その身は緊張に震えていた。

影二郎と若菜はたがいの瞳を見合った。

影二郎の我慢も若菜の恥じらいもその場から消えていた。ただ布団に迎え入れ、抱き合った。

「恥ずかしい真似をしてお蔑《さげす》みでございましょう」

「若菜、おれもおなじ気持ちじゃ。萌のことがあったで……」

「姉のことはおっしゃいますな。若菜は若菜にございます」

叫ぶようにいった若菜は影二郎の胸にすがりついた。

影二郎は若菜の顔をおこすと唇に自らの唇を重ねた。舌と舌がからみ、二人は布団に転がった。

影二郎は寝着を通して若菜のしなやかな姿態を感じとっていた。

「お会いしたときから好きでございました」

喘《あえ》ぎながら若菜がもらした。

影二郎は寝着の襟口に手を差しいれ、乳房を摑んだ。

「あ、あうっ……」

若菜がかすかな呻《うめ》き声をもらすと下半身をのけ反らせた。するとのびやかな白い足が裾から乱れ出た。

影二郎は開いた両襟の間にこぼれた乳房に口をあてた。

「あれっ」

若菜の体がさらに反った。

影二郎はひしと若菜のはずむような姿態を両腕に抱き締め、尖った乳頭を舌先に転がした。声をもらすことを恥じらった若菜は、必死に口を閉ざしていたが、ついに高く低く喘ぎ声が口の端からもれて続いた。

影二郎は両の襟を大きく広げると乳房から乳房へと舌を這わせた。這わせながら寝間着も褌もはぎ取って裸になった。若菜の寝着の帯をとくと衣類を剝がした。裸の男と女の二人は一つに体を重ね合わせた。

「影二郎さま……」

「若菜」

影二郎の手が豊かな柔毛をなでた。すると若菜の体にしびれるような感覚が走った。すでに柔毛の下は十分に潤って、影二郎の脳髄を甘く刺激する芳香《ほうこう》を放っていた。

影二郎はおのれのものに手を添えてゆっくりと若菜の秘所へと誘った。

若菜は影二郎の怒張したものを静かに受けいれると呻いた、喘いだ。それもこれまでもらした声とはまったく異なっていた。官能のなかに安息の吐息が混じり、それが影二郎に伝わった。

「若菜、離しはせぬ」

「影二郎さまはわたしだけの男……」

「おお、そうじゃ」

若菜は影二郎の逞しい体に組みしかれながらももだえた、もだえ続けた。

押しては返す波にも似た悦楽の瞬間が繰り返され、二人は互いの名を呼び合うと激しく果てた。

若菜のはずむ息遣いをなにものにも代えがたい妙音と聞きながら、影二郎は若菜といっしょにある至福を感じていた。

若菜が汗ばむ手で影二郎の手を握りしめた。

「影二郎さまと出合うて若菜は幸せにございます。でも……」

「でも、なんじゃ」

「この時が消えるようで恐ろしうございます」

「若菜、どこにいようともそなたと影二郎はともに歩む仲……」

「……うれしうございます」

影二郎と若菜は互いの肉体を感じながら眠りに落ちた。

江戸の町は切放の横行にひっそりと息を潜めて時が過ぎるのを待っていた。

だが、浅草西仲町の料理茶屋嵐山は、いつにも増して穏やかな日を持った。

影二郎が家にいる。それだけで若菜も添太郎もいくも、晴れ晴れとした顔であった。

「じじ様、このまま日が続くとよいにな」

いくは繰り言のように言い暮らした。

川向こうの回向院で解き放ちになった切放者は娑婆の風に未練を残しつつも浅草溜に少しずつ集まっていた。

この日、影二郎は若菜、添太郎、いくの三人に見送られて嵐山の門を出た。

「お帰りをお待ちしています」

若菜の声にそこはかとない艶っぽさが漂う。その足下からあかが不安げな顔を影二郎に向けた。

「待っておれ、あか。迎えにくるでな」

影二郎は、一文字笠を被ると鈍色《にびいろ》の空からはらはらと雪が落ちてきた。すると江戸の町が急に冷えこんでいった。

浅草寺の前を走る広小路に出たところで、影二郎は肩にかけていた南蛮外衣を長身に巻きつけるように羽織った。

雷御門を潜《くぐ》ると、寺領を南から北に変えた。境内を過ぎると入会地《いりあいち》や畑屋敷や田圃、俗にいう浅草田圃が広がっていた。田圃の先には北国《ほっこく》の遊廓が不夜城のように姿を見せてくるはずだが、雪のせいでおぼろにしか望めなかった。

影二郎は田圃道を行く切放の群れに目をやった。

もはや切放にあったときの勢いは影を潜めていた。その背は娑婆に未練を残しつつも獄舎に戻らねばならない哀しみに彩《いろど》られていた。

雪が激しく舞い落ちてきた。

影二郎は長合羽の襟をきつく締めた。

浅草田圃に堀を巡らした浅草溜が見えてきた。

門が大きく両側に開かれ、火が焚《た》かれて石出帯刀以下、牢役人たちが切放の帰りを待ち受けていた。

「東の大牢の茂松、ただ今戻りましてございます」

「東の二間牢、虎五郎にございます」

牢役人が切放のときに作った名簿の上に筆で印を付けていく。名乗りを上げて戻った切放たちは浅草溜の仮牢に収容されて、おかゆと白湯《さゆ》が与えられた。

影二郎が門前に立ってその光景を見るともなく眺めていると八丁堀の同心と立ち話をしていた菱沼喜十郎が気づいて飛んできた。

「ご苦労に存じます」

二人のところに何気なく歩み寄った同心を、

「南町奉行同心の牧野兵庫どのにございます」

と菱沼が紹介した。一文字笠の縁に片手をかけた影二郎が牧野に会釈《えしゃく》するとその顔がこわ張り、

「もしやあなた様は鏡新明智流の桃井道場の夏目瑛二郎様ではございませぬか」

と問い質した。

「ご存じであろうとは思っていたが……」

と菱沼が困った顔をした。

「桃井の鬼……」

と恐れられた影二郎は剣の道を捨て、無頼に走って、十手持ちの聖天の仏七を殺したのだ。理由があったとはいえ、人ひとりを殺して三宅島遠島に決まった身が浅草溜に平然と姿を見せている。

八丁堀同心牧野としては見逃せないことであった。

「昔は夏目瑛二郎と呼ばれたこともある。そなたら町方には浅草無宿影二郎のほうが馴染みがあろうな」

牧野兵庫の顔に困惑が掃かれた。

「お役人様」

溜の奥から姿を見せた男が三人に笑いかけた。

「浅草弾左衛門どのか」

牧野が長吏頭として闇の社会を統率する男を見やった。

「夏目様の身柄はゆえあってわれらが申しうけたとでもお考えあれ。役所の記録をひっくり返されたところで無宿者影二郎の名はどこにも探しあてられませぬよ」

闇の将軍が明言し、牧野が、

「いや、弾左衛門どのも夏目様もお考え違いしておられる。それがしはただ桃井道場の若鬼の剣風をなつかしく思い出したまで」

と笑った。それに頷いた弾左衛門に影二郎が、

「弾左衛門どのまでお出張りか」

「夏目様、こんどの切放はちと気にいらぬ」

と弾左衛門が言い放った。

その声は牢奉行の耳にも届いたが、石出はこの三日間に憔悴《しょうすい》しきって、それに反応する気力もないように思えた。

「亀松と申す牢名主らが斬殺された一件か」

「それもありまする」

と答えた弾左衛門は、

「あと半刻（一時間）後にはあきらかになりましょうぞ」

というに止めた。

弾左衛門の配下たちが巡らした情報網は、関八州一円を中心に全国津々浦々に広がっていた。

影二郎は秀信の影仕事を手伝うにあたり、どれほど弾左衛門の力を借りてきたことか。

徳川幕府開闢《かいびゃく》から二百数十年、行政の機能にほころびを見せる幕藩体制に比して、もう一つの〝闇の幕府〟は強固に結束を強めていたのだ。
「ならば弾左衛門どのの危惧《きぐ》がなにかを待つといたすか」

四

牢奉行の石出帯刀が回向院で切放の者たちを前に命じた刻限がゆるやかに過ぎていった。帰参せぬ者が二十数名……もはや石出の顔色は土気色に変じていた。だが、約束の刻限を過ぎても浅草田圃の道を必死で走ってくる切放者もいた。
暮れ六つ（午後六時）、浅草溜の門扉を閉じたとき、十三名が石出の命に従わなかったことが判明した。だが、そのうちの七名は回向院で解き放ちになった直後に惨殺されて発見されていた。となると六名の者が切放の機会を利用して逃亡を企てたと考えられた。
切放の後、帰参せずが六名に上るのは異例中の異例であった。
牢屋敷の帳簿からその名が判明した。
西の揚屋　伊丹主馬（元御勘定所道中方三十三歳）　横領
西の揚屋　常方相左衛門《つねかたそうざえもん》（上州浪人三十九歳）　強奪
西の奥揚屋　神谷無門《かみやむもん》（武州多摩郡青梅《おうめ》宿鈴法寺《れいほうじ》虚無僧《こむそう》四十三歳）　賭博

東の女牢　はつ（野州無宿二十一歳）掏摸《すり》未遂
東の大牢　礼五郎（神田無宿二十九歳）賭博
東の大牢　久六（信州無宿四十一歳）無銭飲食
牧野が牢役人から聞き取った逃亡者の名を影二郎らに示した。

「やはり伊丹は戻ってきませなんだか」

菱沼喜十郎が嘆息した。

切放の機会を捉《とら》えて逃亡したことは、御勘定所道中方の伊丹主馬が職権を利用した不正が重大なことを示していた。

「夏目様」

と影二郎の名を呼んだ浅草弾左衛門が、

「山谷堀に船を待たせてございます」

と雪の空を見上げると言った。

「仲間の方々もお誘いあれ」

闇の世界を仕切る弾左衛門の屋敷は山谷堀をはさんだ堀向こうの浅草新町にあった。

その坪数は一万四千四十二坪、この一角に太鼓、雪駄などを商《あきな》う店が軒を並べていた。すべて弾左衛門の息のかかる連中であった。さらに日本橋室町にある二千六百四坪の屋敷は板塀を巡らし、小大名にも劣らぬ長屋門、さらに邸《やしき》の表には中爵門《ちゆうじやくもん》を設けていた。これは徳川の御家門と二、三の国持大名しか許されない破格のものであった。

浅草新町に戻るなら、船の必要もないほどの距離だ。その弾左衛門が影二郎らを山谷堀に浮かべた船に誘うにはそれなりの理由があるはずであった。

吉原を左手に見ながら田圃道を進むと山谷堀にぶつかった。材木橋下に弾左衛門の屋根船がもやわれてあった。

「助かった」

雪道に難渋して歩いてきた牧野がつぶやいた。

影二郎らが胴の間に入ると炬燵《こたつ》がおかれ、小女が控えていて酒の用意までされていた。

四人は思い思いの場所に座った。

屋根船はゆらりと岸辺を離れた様子だ。

「まずは一献《いっこん》、体を温めてくだされ」

小女の酌で影二郎らは冷えきった体を酒で温めた。

「弾左衛門どの自ら浅草溜に足を運ばれるにはいわれがありそうな。われらに酒を馳走しようとのこととも思えぬな」

闇の頭取《とうどり》と親しいのは夏目影二郎だけだ。

幕府の下僚の一員である菱沼も牧野も顔は知っていても口を利き合うほどの交流はなかった。

それはそうであろう、弾左衛門は表の幕藩体制と瓜二つの闇の社会の将軍である。まるで身分違いであった。が、表社会を自ら逃れた影二郎には権威も権力も存在しなかった。

弾左衛門はそんな影二郎の奔放《ほんぽう》さを好んで付き合いを許してくれたのだ。

「影二郎どの、まずはそなたが浅草溜に姿を見せられたわけを聞きましょうか」

「ここにおる菱沼喜十郎は勘定奉行所監察方でしてな、切放の一人の動静を気にかけてきた。そやつが浅草溜に戻ってくるかどうか、幕府を揺るがす事件と考えておるのです。それでそれがしは同道を求められた」

影二郎は菱沼の身分を明かし、説明の役を譲った。

菱沼は弾左衛門に会釈すると、

「弾左衛門様、こちらは南の定廻同心の牧野兵庫どのにございます」

と旧友を紹介し、牧野に視線を向け直すと、

「過日の約定をはたしまする」

と律義《りちぎ》に断り、道中方組頭の自刃から道中方にかけられた嫌疑のことなどを語った。

本来、探索中の事件、外に洩らすことは許されるものではない。まして伊丹を捕縛したのは道中奉行を勘定奉行と分掌する大目付である。

だが、弾左衛門が影二郎の影仕事をこれまでも助けてくれたことを菱沼は承知していたし、町方の牧野とは時折り、連携して探索に臨むことがあった。

「菱沼様は道中方伊丹主馬が長年にわたり道中方の没収品を私物化してきたと考えておられる

のか」

弾左衛門が説明を終えた菱沼に質した。

「今のところ伊丹が五街道をはじめとする没収品を横領したと言い切れる証拠はございませぬ。ですが、浅草溜に戻ってこぬのはなんとしても怪しい」

「もし伊丹が十余年にわたり没収品の一部を横領してきたとしたら、その総額はいかほどになりますかな」

牧野が質した。

「文政十一年には道中方から勘定奉行所の勝手方に繰り入れられていた額は金目に換算して八千八百余両ほどにございます。それが天保九年の昨年には二千両を割っております。もし文化時代の摘発が五街道で続けられていたとしたら、概算で十万両前後かと推量されまする」

「なんとなあ」

「これはまた」

弾左衛門と牧野が慨嘆した。

「もしそれが事実ならば伊丹主馬だけの仕事ではありませぬぞ」

牧野が言い切り、菱沼が頷いた。

「牧野どの、駒留橋の一件はどうなっておりましょうかな」

影二郎が町方同心に聞いた。

「東の大牢に入っていた七人は名主の亀松以下、牢役人にございます。あの日、亀松の命で呼木が準備され、赤猫が牢内に持ちこまれたのはご存じの通りにございます。その前日、神田無宿の礼五郎が大牢に新入りとして入っております、切放の後も礼五郎は亀松らと行動をともにしていた節がある。礼五郎の罪はせいぜい百叩きです、切放で逃げるのはよほどの馬鹿です。なにか目的があって牢入りしたとしか考えられない」

「殺された亀松らを娑婆に誘い出す役か」

菱沼が聞いた。

屋根船の舷側《げんそく》に波が当たった気配で船が揺れた。山谷堀から大川に出たのだろう。

「たしかに亀松と二番役の寅吉の刺傷が一番むごうございました。二人に恨みを抱く者が大牢から誘い出したとも考えられないこともない。木更津無宿の亀松が賭場で中盆を刺し殺したのは内藤新宿を仕切る吉野屋の五郎三の賭場でしてね、五郎三一家はせいぜい賭場を開くくらいの才覚しかございません。大牢まで人を送って外に連れ出し、仇をとるほどの大それた仕掛けはできない。第一、賭場の諍いを牢屋敷まで追う渡世人などおりませぬ。やつらは損得勘定で動く輩ども、お上にたて突く怖さを知っております」

牧野の言葉には調べた確かさがあった。

「礼五郎は神田無宿というが渡世人か」

「それが江戸者にしてはあまり知られていませんでね、仲間からは美人《つっ》の礼五郎と呼ばれていたところをみると苦み走った顔を利用して美人局《つつもたせ》で生きてきた輩ではないかと思われます」

礼五郎の履歴は曖昧《あいまい》であった。

牧野は話題を転じた。

「それに切放の夜、小伝馬町で発生した火事は火付けです。ですが、牢屋敷のある伝馬町に広がる前に火は鎮まっている。だが、東の大牢から外格子ごしに差しのべられた呼木には見事に赤猫がからみついていた。牢の外に呼木を差し出してもせいぜい二、三尺、それが一丁も離れた火事の炎が燃え移ったのです」

「東牢の外には堀が巡らされてあったな」

影二郎が質す。

「はい、幅一間の堀が牢屋敷の四周を取り巻いております」

「となると堀の外に協力者がいて、赤猫の舌先に炎を燃え移らせたということか」

牧野は大きく首肯した。

「ならば内部で協力した亀松らが外に出て消されても不思議はないな」

「駒留橋下に待っていた者が、亀松ら、赤猫を牢内におびき寄せる役目を実行したものを消した。美人《つっ》の礼五郎を牢に送った者、牢内に赤猫を送った者、駒留橋に待ち受けていた者、すべてにつながりがあるはずでございます」

牧野は吐息をつくと杯の酒を嘗めた。そして再び口を開いた。

「われら南町奉行所が関わった囚人は東の女牢のはつ、二十一歳と大牢にいた鼠の久六です。二人ともこの数日前に牢入りしたもので掏摸《すり》未遂と無銭飲食の常習とあって、罪科は軽い。切放で逃げたのでは間尺に合いません」

「礼五郎、はつ、久六と、切放を企ててわざと牢入りした人間といわれるか」

影二郎の問いに牧野は大きく頷いた。

「そう考えたほうが納得がいきます」

「ならば狙いがなくてはならぬ」

影二郎の独白には答えず、

「西の揚屋にいる常方相左衛門は強奪、奥揚屋の神谷無門、それに伊丹主馬は横領容疑、これら三名と東の牢の三名となにかつながりがありましょうかな」

と影二郎に反論した。

西の二間牢、大牢とは寺社奉行、勘定奉行、加役などの手を経ての罪人、また西の奥揚屋は坊主などの入る牢である。東の一般牢とは身分が異なった。

「亀松ら粗暴の者七名を殺すには礼五郎、はつ、久六だけでやれる仕事とは思えぬな」

「影二郎様、となると礼五郎らを外にいた仲間が助けて亀松らを殺したか、士分を含めた六名の逃亡者が共謀して亀松らを始末したかの二通りが考えられませぬか」

菱沼が影二郎に聞いた。

その答えを求めた影二郎は鳥越の頭を見た。

「牢屋敷に浅草溜の非人頭、車善七の手の者が入っていることを説明する要はございませぬな」

と弾左衛門が三名を見回した。

非人たちが刑罰に関わる不浄の仕事に携わっていることを弾左衛門はいったのだ。この車善七以下の者を浅草弾左衛門が支配していた。

「この弾左衛門めが支配する者の三番目に舞々《まいまい》がございます。幸若舞《こうわかまい》を二人連れで演じて回る者にございますが、今から三年ほど前、舞々の平右衛門《へいえもん》が亡くなり、かたわれの無左衛門《むざえもん》は舞々を続けられなくなったのでございます。無左衛門は器用な男で笛から太鼓までなんでもこなしたそうな。その無左衛門は一人門付けに落ちて上方に流れた……」

弾左衛門は小女が注いだ酒をゆったりと啜った。

「さて話を元に戻しますとな、車善七より奇怪な知らせが届きました。善七の手下の一人が伝馬町の西の奥揚屋で虚無僧を見かけた。それが舞々の無左衛門にそっくり、いや、無左衛門だと申してきたのでございます。善七は念を入れて舞々の無左衛門をよく知る者を伝馬町に派遣して、虚無僧の神谷無門を密かに観察させました。するとこの者もまた、舞々のかたわれ無左衛門当人に間違いないと確かめたそうな……われら長吏以下、座頭、舞々、猿楽、陰陽師、壁塗、などの二十九職の者が虚無僧に化けるなどできない相談。もし舞々の無左衛門が罪を犯したのであれば浅草溜の善七の下に送られるのが筋、なんぞおかしなことが起こらねばよいがと思案しているうちに切放が起こったのでございます」

「そこで弾左衛門どのは無左衛門が浅草溜に戻ってこぬのを確かめにこられたか」

影二郎の問いに頷いた弾左衛門は、

「無左衛門は博奕に目がなく、匕首を使わせると比類のない腕だそうな。右足が少し不自由で引きずる癖がございます。これを甘く見ると手痛い目に遭わされる寸法でございますよ」

菱沼が恐れていたことを口にした。

「もしや無左衛門らは伊丹主馬を外に出すために牢入りしたのではございませぬか」

「伊丹が牢入りしたのちに五名の者が伝馬町に入っておれば、そのことも考えたほうがよいな」

牧野が応じ、

「すぐにも調べます」

と約した。

「着きましてございます」

船頭の声がして障子を牧野が開けると南茅場町の河岸《かし》、町方同心が住む八丁堀はすぐ裏手に広がっていた。

牧野は弾左衛門に深々と頭を下げると、船から真っ白な雪に染まった河岸に飛んだ。

「それがしも鎌倉河岸にございますればここで……」

と菱沼喜十郎が遠慮するように言うのを制した弾左衛門は、

「鎌倉河岸に着けよ」

と船頭に命ずると、

「影二郎どのはもうしばらくな、お付き合いくだされ」

と言った。


三日後、浅草三好町の市兵衛長屋を旅仕度の菱沼喜十郎が訪ねてきた。五つ半（午前九時）を過ぎて旅立ちには遅い刻限だ。それだけに火急の旅と知れた。

江戸の町は初春に降った雪でぐちゃぐちゃにぬかるんでいた。

菱沼の草鞋《わらじ》もすでに汚れていた。

「まあ上がってくれ」

火鉢のそばに菱沼を招じ上げると、影二郎は隣りの壁を叩いて、ぼて振りの杉次の上《かみ》さんの名を呼んだ。

「おはる、すまぬが渋茶を二つ淹《い》れてくれまいか」

あいよ、と内職の提灯《ちょうちん》張りの手を休めたおはるが応じた。

「下諏訪宿《しもすわしゅく》まで出張ります」

「伊丹の一件であろうな」

頷いた菱沼は、

「五街道の主だった宿場から没収品はそれぞれ主だった宿場に集められ、江戸に搬送されます。下諏訪宿もその一つ、そこで没収品を送った宿場をまず当たるのが先決と、お奉行がそれがしを派遣されることになったのでございます」

「下諏訪宿か、まだ冬の最中じゃぞ」

「公務とあらば仕方ありませぬ」

と笑った菱沼が、

「昨晩、南の牧野どのに会いましてございます」

ときびしい顔に戻した。

「旦那、ほれ、渋茶だ」

おはるが縁の欠けた茶碗に茶を淹れて運んできた。

「いつもすまぬな、亭主は稼ぎに出たか」

「旦那のようにごろごろして食えればいいがね、とっくに出かけたよ」

悪態で応じたおはるが去って、茶碗に手を伸ばした菱沼が話を再開した。

「切放から戻らぬ六名の者の牢入りの日を調べ直しましたところ、伊丹主馬が一月半前に伝馬町の牢屋敷に移されて以来、常方相左衛門らが次々に入ってきたとのこと……」

「……五名は伊丹を牢内から外に出すための援軍であったか」

そうみてもよろしいかと答えた菱沼は、

「ただし鼠の久六なる無銭飲食者はただ浅草溜に帰りそびれたかもしれぬと疑っておりました。頭の捩子《ねじ》がゆるんだ男にて声色だけが取り柄の小者、牢破りなどという考えも持ち合わせておらぬ人物かと」

「となると一味は伊丹を含めて五名か」

頷いた菱沼が、

「またはつに関して牧野どのよりの知らせによりますと、はつは元浅草奥山で出刃打ちの芸人でございましたそうな。懐に何本もの小出刃を飲んでおると申します」

「どれもが一癖二癖ありそうな者ばかりじゃな」

「われら勘定奉行所の探索方も大目付秋水様の支配下も牧野どのら町方も必死で伊丹主馬一味の行方を当たっておりますゆえ、なんらかあたりはございましょう。影二郎様の出番があるやもしれませぬ」

と言うと、立ち上がった。

さらに三日後の昼下がり、市兵衛長屋を若菜が訪ねてきた。

「影二郎様」

と呼びかける仕草は初々《ういうい》しい恥じらいを見せていた。その足下にはあかがうれしそうに飛び跳ねていた。

「若菜、なんぞこちらまで用事に出たか」

「お奉行様のお使いが見えられて、下城の時刻に嵐山でお会いしたいとの伝言にございます」

と用件を述べた若菜は憂いに満ちた顔に変わった。

「お奉行様のご命でまた旅に出られるのでございますか」

「分からぬな」

影二郎は障子越しにこぼれる陽光を見て、

「若菜、仕度をするまで待て。一緒に出かけようぞ」

と誘った。

浅草寺にお参りしたあと、影二郎と若菜は境内の茶屋でのんびりと時を過ごした。

雪にぬかるんだ道は乾いて、時折り吹く風に埃《ほこり》が舞い上がった。冬枯れの木の枝には正月の名残りの凧《たこ》が引っかかってばたばたと音をたてている。

「気になります」

とふいに若菜が言い出した。

「なにが気になる」

若菜は先程買い求めたおみくじを帯の間から出した。

「旅は凶、控えよ、とございます」

若菜はただ影二郎の身を案じていた。

「そう旅に出るものとばかり決めつけるでないわ。正月くらい若菜のそばにいたいものよ」

若菜が頬を染めるのをしおに茶店を出た。

嵐山に戻るとすでに評定所《ひようじようしよ》の戻りという常磐豊後守秀信が嵐山の座敷に座して、添太郎を相手に酒を呑んでいた。

「久し振りにございます」

挨拶する影二郎に、

「ちと遅いが年賀の挨拶じゃ」

と杯を影二郎に取らした。

若菜が父と子の杯に酒を注《つ》ぎ、二人は会釈し合うと飲み干した。それを見届けた添太郎と若菜が座敷から姿を消した。

「切放の伊丹主馬の一件、異変が生じましたか」

影二郎の問いに秀信は書状を出すと、

「板橋宿の飛脚屋庄八が本所の屋敷に届けてきたものじゃ」

と説明を加え、渡した。

表の宛て名は勘定奉行常磐豊後守秀信様とあった。

影二郎は封書を開いた。

〈辞職届　今般御勘定所道中方を辞職致す事になり、常磐様にもお届け致し候。なお常磐様子飼の影始末夏目影二郎殿に追尾を命じられしも我ら一向に差し支えなくお待ち受け致し候。伊丹主馬〉

影二郎が顔を上げた。

「伊丹め、不届き至極にも捨て台詞《ぜりふ》を残して江戸を立《た》ち退《の》いていきおったわ」

伊丹は、道中方の職権を利用して五街道から上がる禁制品などの没収品を長年にわたって横領してきたことを、わざわざ認めてきたということか。

「瑛二郎、伊丹主馬の上司であった佐竹吉勝じゃがそれがしが公事方から勝手方に転じた時、よう働いてくれた者じゃ。それが道中方組頭に転じてこのような憂き目に遭った。佐竹が不正を働いたとはどうしても思えぬ」

罪を認める遺書を残して自刃した元部下について秀信は気にかけていた。

「おそらくは佐竹吉勝の下におった能吏の伊丹が一枚嚙んでおらぬと出来ぬ相談……それにしても長年の経験と地位を利して公金をくすねていた小役人とも思えぬ、ふてぶてしい態度じゃ。傲慢《ごうまん》な背後にはなんぞ隠されていよう」

秀信はいったん言葉を切ると、

「伊丹はそなたのことも承知しておる。なんとしても伊丹らの所在をつき止めよ」

「つき止めた暁にはどう始末いたしますので」

「道中方の表裏を知り尽くした伊丹が公金を横領してきたは明らかなこと、下諏訪宿に出張らせた菱沼が動かぬ証拠を摑んでこよう。影二郎、切放の後、破牢した伊丹主馬一統をことごとく始末せよ。このこと老中水野越前守忠邦様も承知……」

秀信は幕府の規範を超えて、処刑せよと命じていた。

「……さらに第二は十余年にわたって横領蓄財した公金の奪還じゃ」

秀信は切餅二つ（五十両）を懐から出して影二郎の前に置いた。

「伊丹の出はどこか調べて頂きとうございます」

影二郎は切餅に手をかけ、秀信が首肯した。

第二話　武州《ぶしゅう》十文字峠

一

東海道、中山道、奥州道中、甲州道中、日光道中の五街道の起点はすべて日本橋である。その日本橋から二里半（およそ十キロ）、中山道の最初の宿駅が板橋だ。

板橋は通りに沿って上宿、仲宿、平尾宿と三宿から成り、上宿と仲宿の間を石神井川《しゃくじいがわ》が音を立てて流れている。この流れを結ぶ板橋が宿駅の名になった。

夏目影二郎はこの朝、五つ（午前八時）過ぎに板橋の上から流れを見下ろしていた。

夜の間、凍るような冷たさを湛《たた》えて流れていた石神井川を穏やかな日差しが注いで、川面から靄《もや》を薄く立ち上らせていた。

橋の下では白髪頭を後ろで小さくひっつめた老人が釣糸を垂れていた。

板橋上をひっきりなしに人馬が往来して、品川、内藤新宿、千住とならぶ四宿の一つの繁盛ぶりを示していた。この宿駅を参勤交代で通過する大名家は三十家におよび、飯盛女郎も百五十人を数えた。

影二郎は浅草西仲町の料理茶屋嵐山を若菜らに見送られて、明け六つ（六時）過ぎに立ってきた。二年半前、利根川の河原で拾ったあかも従えての主従旅だ。

影二郎は肩から巻きつけていた南蛮外衣を脱ぐと、裏地の猩々緋を折りこむように畳み、左肩にかけた。目深《まぶか》に被った一文字笠の裏には伊丹主馬ら切放を利して破牢した六人の名が書かれてあった。

流れに面した旅籠の雨戸が開かれ、飯盛女が大あくびをした顔をのぞかせたのをしおに影二郎は仲宿に渡った。

旅に慣れたあかが馬糞を避けながらついてくる。どこも伝馬を扱う宿の通りは馬の糞だらけだ。

飛脚屋庄八は、仲宿の真ん中に間口六間の堂々とした構えを見せていた。かつて上板橋の庄屋をしていた八代目が始めたので庄八と呼ばれる飛脚屋の店先は、忙しさの後の弛緩《しかん》をみせていた。飛脚屋は早立ち商売、帳場に番頭一人が残って算盤《そろばん》を弾《はじ》いている。

「ちとものを尋ねたい」

犬を連れた一本差しの影二郎の姿をじろりとみた番頭は、無言のままに用件を言えとばかりに顎をわずかに上げた。

「一昨日と思えるがこの書状、そなたの店で扱ったな」

影二郎は秀信から預かってきた手紙を懐から出した。

「お客人、うちで扱う書状の数をご存じか」

と面倒な様子の番頭の鼻先に宛名を指し示した。ちらりとその名に目を落とした番頭の態度ががらりと変わった。

「これはお役人様で……」

勘定奉行の加役の一つが五街道の監督権を持つ道中奉行である。それを名指しの封書を持つとすれば、勘定奉行の監察方と、番頭が勘違いしたのは仕方のないことだ。

影二郎は番頭のうろたえぶりを尻目に、いかがじゃなと質した。

「へえっ、確かに覚えがございます。一昨日の昼前に私が預かりましてございます」

「知り合いか」

「いえ、初めて見る顔の虚無僧様にございましてな」

「虚無僧の顔を見たか」

虚無僧は天蓋《てんがい》とよばれる深編笠を被って面体《めんてい》を隠しているのが普通だ。

「はい、編笠をとられてな、丁寧な応対にございました。足が不自由のようにお見受けいたしました。宛先が宛先だけにお上の御用なら継飛脚をお使いにならないのかと不思議に思ったものでございます」

継飛脚とは幕府の公用便、宿場間を昼夜を問わず次々に交替で飛脚人足を走らせ、江戸時代もっとも早い連絡の手段であった。だが、江戸から京までおよそ四十五刻（九十時間）で走り抜ける継飛脚を利用できるのは、老中、京都所司代、大坂城代、駿府《すんぷ》城代、勘定奉行、京都町奉行、道中奉行にかぎられた。

だが虚無僧は町飛脚を指定したという。

「折りよく江戸に向かう早飛脚がございました。そこで私はこの書状をその者に託して早々に常磐様にお届けしたのでございますが、なんぞ差し障りがございましたかな」

番頭は不安げな顔で聞く。

「いや、そなたの手配りになんの遺漏があろうか。それがしが知りたいのは虚無僧の人相風体でな」

「年のころは四十過ぎ、四角い顔立ちでございましたな。召しものは古びた絹に袈裟《けさ》をかけられ、手には尺八を、丸ぐけの帯に塗りの禿《は》げた短刀を差しておられました」

「袋はどうじゃ」

「いえ、袋に代わり卍入りの黒塗りの箱を下げておられて、たしか青梅宿鈴法寺と箱の横に書かれてあったと記憶します」

さすがに飛脚宿の番頭だ。一度会っただけの客の人相をよく覚えていた。

切放の六人のなかに偽虚無僧の神谷無門がいた。

素姓は車善七の配下の者に見破られたように舞々のかたわれ、無左衛門の風体と酷似していた。

「その者なら仲間がおるはず、その様子はなかったか」

いいえ、と番頭は顔を振った。

「虚無僧が泊まりそうな旅籠は何軒あるな」

「飯盛女郎衆のいる旅籠のほかは商人宿、木賃宿が五、六軒にございます」

番頭は筆を走らせるとその名をすらすらと書いてくれた。

「造作《ぞうさ》をかけたな」

影二郎が飛脚屋庄八の店を出ると、軒下に伏せて往来を見ていたあかがのっそりと立ち上がった。

主従は番頭の書いてくれた商人宿に虚無僧の神谷無門が泊まったかどうか調べて歩いた。が、どこも虚無僧一人、あるいは虚無僧を加えた五、六人の旅人を泊めた宿はなかった。そこで飯盛旅籠に調べの範囲を伸ばしたが、虚無僧姿の神谷無門こと無左衛門を泊めた旅籠はなかった。

石神井川にかかる板橋に戻った影二郎は、橋の袂《たもと》に立てられた行灯看板にそばうどんとあるのを見つけて入った。往来から見える縁台に腰を下ろし、小女にそばと冷や酒を頼むついでに聞いてみた。

「犬が食するものはなんぞないか」

「昼に食べた粕汁《かすじる》の荒巻の頭があるがそれでどうだね」

「それでよい」

あかは粕汁の残りをもらって満悦の様子だ。

影二郎はそばが打たれるを待ちながら冷やをゆっくりと喉に落とした。

「旦那、相変わらずの犬連れかえ」

奥の小部屋から声が掛かった。

振り向くと国定忠治の老練な子分の一人、蝮《まむし》の幸助の顔が覗いた。背後には仲間の八寸《はちす》才市、桐原長五郎、山王民五郎、鹿安ら忠治の幹部らが顔を揃えていた。が、関所破りの罪を逃れて関八州に潜行する忠治の顔はなかった。

「ほお、お歴々が面を揃えてなんだねえ」

「相も変らず捕方から逃げ回っているのさ」

蝮は平然としたものだ。

「旦那は板橋宿なんぞになんで出張ってこられたな」

影二郎はふと気紛れに切放の一件を話す気になった。

逃亡した首魁《しゆかい》の伊丹主馬について御勘定所道中方と身分を告げたわけではない。だが、蝮は、

「伊丹って野郎は道中方でしたな。そこへ旦那が動いたとなるとなにやらきな臭いや」

「蝮、なんぞ小耳に挟んだら知らせてはくれまいか」

「へえっ、旦那につなぎをつけるには浅草の頭経由だね」

蝮の幸助と影二郎はこれまでつかず離れずの旅をしてきて互いの手の内を知り尽くしている。

蝮ら忠治の股肱《ここう》の子分たちが長脇差を腰にぶちこみ、道中合羽に三度笠を身につけ、草鞋を履いた。

「達者でいけ」

「どこぞの宿でお目にかかりましょうか」

蝮の幸助らが寒風の通りに紛れて消えた。

影二郎は忠治の丸顔を思い浮かべながら酒を嘗めた。

「おお、ここにおられましたか」

飛脚宿の番頭と汗まみれの飛脚が立っていた。

「虚無僧をうちの麻吉が見かけたそうにございます」

「誠か」

麻吉は仕事から走り戻ってきたばかりの様子でへえっと頷いた。

「あっしは二日前に武蔵府中宿に急ぎ仕事で出かけたで、そんときね、虚無僧がわっしと入れ替わりに店に入ってこられた。ぶつかりそうになったからよく覚えていたんで」

頷いた影二郎は、どこであったか聞いた。すると、

「昨日の昼下がり、青梅街道の小金井宿あたりであの虚無僧が西に下っていくのを見かけたん

で」

「虚無僧はどこにもおる。虚無僧違いということはないか」

「右足を引きずるように歩かれる虚無僧はそう世の中にいるもんじゃございませぬよ。それに袋代わりに下げた卍の箱には青梅宿鈴法寺とございましたから、青梅の寺に戻られるのだと思ったものでございます」

浅草弾左衛門も舞々の無左衛門の右足の不自由なことを話していた。

「挨拶はなしたか」

「わっしらの旅は走り旅、一瞬擦《す》れ違っただけにございます」

「連れはどうじゃ」

「一人旅にございましたがな」

幕府は慶長十九年に虚無僧の規律を定めていた。その中の一条に「虚無僧托鉢《たくはつ》同行二人の外あるまじき事」と団体での行動を戒めていた。となれば偽虚無僧に化けた無左衛門は単独で行動していると思えた。

「よう知らせてくれた」

影二郎は麻吉に小粒（二朱金）を握らせて礼を述べた。

「番頭どのにはたのみがある。だれぞそれがしを訪ねて参ったら、青梅宿鈴法寺に向かったと伝えてくれぬか」

「へえ、心得ました」

手拭いで汗をぬぐっていた麻吉が影二郎に問うたのはそのときだ。

「虚無僧に連れがあるとしたら、どんな連れだね」

「侍が二人、若い女が一人、町人が一人か二人……」

「待ってくだせえよ。虚無僧と擦れ違う一、二丁前を侍二人とあだっぽい女の連れに渡世人が何人か加わった一行が進んでいきましたよ。あんな組み合わせはそうあるもんじゃねえ。ひょっとしたら、旦那が知りたい連れではねえかね」

その日のうちに石神井川を上流へと上り詰め、伏見村で青梅街道に出た影二郎とあかの主従は、小川村の国分寺街道との辻にあった御堂《みどう》で寄り添うように寒さに耐えて一夜を過ごした。

翌朝は七つ半（午前五時）前から御堂を出るとひたすら青梅を目指した。

その昼の刻限、青梅宿鈴法寺の門前の石段に影二郎は座りこんで、

「あか、どうしたものかな」

と飼犬に問いかけていた。

偽虚無僧の無左衛門となんらかの関わりを持つものと板橋宿から出かけてきたが、鈴法寺の住職は、

「確かに当寺の普化僧《ふけそう》に神谷無門と申す僧がございました。が、二年前、駿州の宇津ノ谷峠で行き倒れているところを旅の方に見つけられ、丸子宿の番所に届けがございました。なんでも

そのときの格好はほとんど裸同然であったとか。ですが、われら普化僧、旅の間は髷《まげ》の中に所属の寺や名を記した紙片を隠し持ちまする。それで身分が知れ、当山に知らせが入ったのでございます」

「神谷無門どのは生きておられればいくつになられる」

「今年で六十六になる老僧にございます」

「近ごろ神谷無門を名乗る偽虚無僧が江戸に出没するが心あたりはござらぬか」

「つい先日も町奉行所から賭博で捕縛された者に神谷無門があるが当寺との関わりはと問い合わせがございました。が、事情は先ほど述べましたとおり……」

江戸に戻るか、影二郎は迷っていた。

あかが吠えると街道に向かって突然走り出し、曲がりくねった往還の向こうに消えた。

影二郎は訝《いぶか》しく思った。

あかの様子は敵対するものを発見しての行動ではない。だれぞ知り合いを見つけたといった気配だ。

影二郎が石段から立ち上がった。すると駕籠が姿を見せて、尻尾を大きく揺らしたあかが伴走するように走ってきた。

「夏目様」

駕籠が門前に止まると胸前に三味線を抱えたおこまが垂れをめくって転がり出てきた。

「板橋宿から乗り継いできたようじゃが体にさわらぬか」

半年も前、飛騨高山で拷問に耐えたおこまは治療に専念していたのだ。

「もうなんともありませんよ」

旅に出たのがうれしいといった顔で笑いかけると、両手を広げて見せた。

「ちょっと待ってくださいな」

と断ったおこまは駕籠賃を支払った。

青梅宿で乗り継いできたという駕籠が街道の向こうに消えると、

「しばらくでございました、夏目様」

と改めて挨拶をなした。

「元気になってなによりじゃ」

影二郎も菱沼喜十郎の娘おこまとの旅の空での再会を心から喜んだ。

影二郎が住職から聞いた話を告げると、

「やはり神谷無門は偽虚無僧でありましたか」

おこまが頷いた。

「さてどうしたものかと思案していたところだ」

「影二郎様、お奉行様からの言付けにございます。伊丹主馬の先祖は、信州佐久郡の川上村金《きん》峰《ぽう》の里というところにございますそうな」

秀信からの伝言を伝えた。そして、これをご覧くださいとあだっぽい四竹節《よつたけぶし》の芸人に扮したおこまが懐から絵地図を取り出して広げた。

四竹節とは上総節《かずさぶし》に合わせて両手の四竹を巧妙に打ち鳴らし、三味線で伴奏をして門付《かどづけ》をなす芸人だ。

夏場、おこまは水芸人に扮装していたが、冬場の探索には不向き、そこで四竹節の芸人に扮しての探索であった。

「青梅宿から正丸峠《しょうまるとうげ》を越えて秩父に入り、小鹿野村、両神村から志賀坂峠を越えて、さらに中里村、上野村から佐久街道に至れば、海ノ口を経て川上村金峰の里に至ります」

「伊丹一統は志賀坂峠を越えて信州に入るつもりか」

「警戒の厳しい甲州道中、中山道を避けるとしたらおそらく……」

影二郎は早春の陽を見上げた。

「道を急げば、正丸峠下の名栗村まではいけよう」

「はい」

影二郎とおこま、それにあかの主従は伊丹主馬の故郷の金峰の里を目指して武州へと進むことになった。

小沢峠を越えておよそ四里の山間の道を影二郎らは踏破して日没の刻限に名栗村に入っていた。

秩父は三十四観音の霊場巡りの地、どんな山間にも巡礼宿がある。

影二郎とおこまは名栗村の巡礼宿に足を止めると、二人の宿泊とあかのねぐらを求めた。

「犬を連れた旅人さんとはめずらしうございますな」

宿の老爺《ろうや》が笑い、あかには土間の片隅に筵《むしろ》を敷いてねぐらを作ってくれた。

影二郎は進められるままに宿の風呂に入り、おこまと交替に囲炉裏端《いろりばた》に座った。

相宿は大半が巡礼者、八王子に公事に出た秩父の商人と百姓が一人ずつ混じっていた。

「世話になる」

先客に挨拶すると老爺に酒を頼んだ。

「燗《かん》をするなら囲炉裏端の銅壺があるだ。それで燗してくだせえ」

影二郎は老爺が運んできた、たっぷり二合は入りそうな徳利を銅壺に入れて待つ間に聞いてみた。

「二日ほど前、虚無僧がこの村を通過しなかったか」

「虚無僧様にございますか。時折り通られますが二日ほど前は気がつきませんでしたな」

「お侍さん」

と声をかけてきたのは夫婦連れの老巡礼の、夫のほうだ。

「名栗村ではないが正丸峠で会いましたぞ」

「正丸峠か、いつのことだな」

「二日前の昼のことですよ」

「虚無僧は足が不自由ではなかったか」

「さてな、天蓋を被って峠の頂きの岩に座っておられましたのでな、それは分かりません」

となると舞々の無左衛門が化けた偽虚無僧とは確かめられない。

「一人であったのだな」

「と思います」

影二郎はその答えに不審を覚えて老巡礼の顔を見た。

「いえね、近くに休んでおられたお侍と話しておられた様子でね、わしらが峠を通過するときには話をやめられましたでな。一人旅か、お侍が連れか分かりませんよ」

「侍は一人か」

「いえ、二人連れでございました」

「そのかたわらに若いあだな女と渡世人風の者はいなかったか」

「はいはい、あちこちに江戸から見えたという風の男女が三、四人おられましたな」

夫の言葉に女房の巡礼が頷いた。

「いや、助かった。礼を申す」

影二郎は貴重な情報を伝えてくれた老夫婦に礼を述べると、銅壺の徳利を出して囲炉裏端に置いた。大ぶりの杯に酒を注ぎ、喉にゆっくりと落とす。

五臓六腑に染み渡るとはこのことか、秩父の地酒というがなかなかの味であった。

「夏目様の独酌《どくしゃく》姿をみるのはひさしぶりですね」

風呂上がりのおこまが囲炉裏端に座るとあたりが急に華やいだ。

死ぬ思いを体験して、おこまの美貌はどこか凄《すご》みを増していた。

「そなたの快気祝いじゃ」

飲み干した杯をおこまに渡すと酒を注いだ。両手に押し頂いたおこまが婉然《えんぜん》と酒を呑んだ。

「よい話を聞いたところじゃ」

老巡礼から聞いた話をおこまに伝えた。

「とすると三日ばかり先行しておることになりますか」

「明日からは強行軍じゃな」

武州、上州、信州の山境を横断する難路に分け入ることになる。

その夜、影二郎とおこまは秩父の地酒に陶然と酔い、山菜、茸《きのこ》をふんだんに炊きこんだ雑炊《ぞうすい》を食して眠りについた。

巡礼宿の朝は早い。

夜明け前に宿の主の声で起こされ、朝餉《あさげ》もそこそこに巡礼行の夫婦も公事の男も立っていった。

影二郎らもそれに見習い、夕べのうちに頼んでおいた握り飯を竹皮に包んでもらって出立《しゅったつ》した。

江戸から秩父に向かう道を秩父往還と称した。東西に熊谷路、川越路、吾野路、南北に上州道などが秩父への往還道であった。

影二郎らは吾野路のさらに南側の尾根伝いに正丸峠へと向かった。

入間川に森河原で別れ、天目指《あまめざす》峠から高畑山、伊豆ケ岳、女坂を通って正丸峠の山道は山岳修行の行者道でもあるだけにまるで獣道《けものみち》、先に通った人が踏みしだいた枯枝、笹竹の跡が目印だ。そして標高二千五、六百尺（八百五、六十メートル）をいく山道にはまだ冬の名残りの寒さが張りついていた。

影二郎にもおこまにも澄み切って晴れた寒空の下を歩くのは心をさわやかにした。

「おこま、大丈夫か」

「影二郎様、もはやご心配は無用に願います」

手でも触ったのか、おこまの胸の前に吊した三味線の弦が時折り鳴った。

一歩登るごとに道は狭く、けわしさを増した。足を下ろす場所も一つとして平らなところはない。尖った石や木の根っ子で滑りやすく安定がとりにくい。

昼前には山の風景が変わり、新しい芽をつけた雑木林に出た。

林に両側から狭められた場所が「小丸峠、または秩父峠」とも称される正丸峠二千余尺（六百五十五メートル）である。

「ここだな、巡礼夫婦が無左衛門らを見掛けたのは」

峠の頂きに石の道標があって、江戸と秩父を結ぶ街道の難所であることを示していた。

峠を抜けても上り坂は続き、初花で街道の頂上に達した。その先は秩父まで下り坂である。

「昼めしにしようか」

影二郎とおこまは岩場に腰を下ろすと竹皮に包まれた握り飯を出し、竹筒に用意した水を呑みながら腹を満たした。握りのなかには猪肉の煮たものが入っていた。

あかもおこまから分けてもらった。

影二郎が竹筒の水を飲み干したとき、正丸峠からの峠道を壮年の武士に率いられた一団が姿を見せた。連れは若侍が一人に剣客風の浪人四人だ。

二

「そなたに尋ねたい」

若侍が影二郎の前で足を止めた。

眼光鋭い主の視線がゆだんなく影二郎の動きを凝視していた。

後方にひかえる剣客たちの全身から敵意がめらめらと燃え上がって漂った。

「名栗村の巡礼宿で、そなたは虚無僧の混じった一団を見かけなかったかと尋ねたそうな。何用あってそのような問いを発したるか」

「ものを尋ねるときは己の身分を明かすが礼儀」

「なにっ！　浪人者の分際《ぶんざい》で傲慢な言動じゃな」

「そちらがものを尋ねるゆえ礼儀を教えたまで」

「大目付秋水左衛門丞様支配下近石十四郎どのじゃあ」

若侍が恐れいったかという顔付きで告げた。

「大目付の家来衆とな」

影二郎は平然と餓狼のような相貌の剣客らに視線をやり、

「幕府の役人がうさん臭い者どもを伴っての旅とはちとおかしい」

とつぶやいた。

「そなたは何者か」

近石十四郎が堪《こら》えきれずに聞いてきた。

「見てのとおりの無宿者と旅芸人の連れだが」

「なぜ虚無僧に関心を抱く」

「なあにちょっとした知り合いだ」

「御用の筋で尋ねておる。しかと答えねば、痛い目に遭うことになるがどうじゃ」

近石の言葉に四名の剣客がそれぞれ足場を固めて影二郎を囲んだ。

「脅しをかけるなんぞは野暮の骨頂だがなあ」

「おのれ、愚弄《ぐろう》しおって」

近石が下がると四人の剣客がさらに半円に影二郎を囲んで、刀の柄《つか》に手をやった。

「ううっ！」

影二郎の足下からあかが攻撃の姿勢を見せ、おこまは四竹を両手に握った。

四人の狙いはあくまで影二郎に向けられていた。

「止《や》めておけ。山の中で怪我を負うと秩父まで運び下ろさねばならん、面倒だぜ」

岩場に腰を下ろした影二郎は立つ様子もない。かたわらの南蛮合羽の襟に手がかけられただけだ。

「鋭《えい》っ！」

正面の剣客が気合いを発し、左手の仲間が無言のままに抜き打ちに突進してきた。

斬りつけるというよりも脅しをかけた一撃だ。

影二郎の片手がひねられ、虚空に南蛮外衣が舞った。

両の裾に縫い込まれた二十匁の銀玉が大きく広がると、突進してきた剣客の視界を塞《ふさ》ぎ、驚いて立ち竦む額にあたって昏倒《こんとう》させた。

「やりやがったな！」

「手妻を使うぞ、油断するな」

三人が呼応して攻撃の態勢を見せた。

影二郎は頭上で旋回させた長合羽にひねりを入れながら、立ち上がっていた。

燃えるように裏地の猩々緋が初花の頂きに咲いた。まるで生き物のように旋回する長合羽は刀を巻き落とし、体を襲って転倒させた。

影二郎の手に長合羽が戻ったとき、近石十四郎の連れの剣客四人は、頭や腕を抱えて呻いていた。

呆然と両眼を見開いたままに近石と若侍が立っていた。

「おこま、腹ごなしも済んだ。秩父へ下ろうぞ」

影二郎らは大目付の手先たちをその場に残すと、初花から坂道を芦が久保に向かって下っていった。

秩父盆地は高望王《たかもちおう》の曾孫《ひまご》将常にはじまる武蔵武士の秩父氏に支配されて発展を遂げてきた。だが、武蔵武士の一党も家康の関東入りとともに衰亡し、江戸時代には幕府の直轄領《ちょっかつりょう》として、代官所の支配するところになっていた。

その秩父盆地の中心は大宮郷だ。

影二郎とおこまはその夕暮れ、大宮郷に入っていった。

「影二郎様、大目付のご家来が江戸を離れて動くとはどういうことでございましょうか」

おこまは沈黙したまま坂を下る影二郎に遠慮して問いかけようとはしなかった。が、里を前にして思い切って聞いていた。

大目付は道中奉行を勘定奉行と兼帯する。二つの役所が共同で兼務するゆえに繁雑な支配とはなりやすい。

伊丹主馬を捕縛したのは大目付秋水左衛門丞が兼務する道中奉行の組下と聞いていた。それにしても剣客浪人まで動員して、虚無僧の無左衛門を追うのは解《げ》せなかった。

「先ほどから考えておるが答えが出ぬ。大目付どのの家来衆は伊丹主馬らの敵方か味方なのかもな」

「追捕隊ではありませぬか」

「追捕隊ならば、餓狼のような浪人剣客の手を借りまい」

「さようでございますな」

「おこま、この一件、ただ道中方が公金を横領したというだけの事件ではないかもしれぬ。なんぞわれらが知らぬ謎が隠されておるわ。まあ、じっくりとあぶり出すしかあるまい」

「そうですね」

大宮郷に入った二人と犬は集落を抜けて、荒川の河原に向かった。

二人が目指すものは右岸の河原にあった。

板屋根に石を載せた流れ宿だ。これらの宿は浅草弾左衛門の息がかかっていた。

引戸代わりの筵《むしろ》をめくると金を遣《つか》い果たした巡礼者や流れ者たちが囲炉裏を囲んでいた。

「今宵一夜、世話になりたい」

宿の主はまだ色香を残した女だった。

「浪人さん、ここがどこか分かっていなさるか」

影二郎は一文字笠を脱ぎ、浅草弾左衛門から贈られた証しの文字を見せた。そこには『江戸鳥越住人之許』とあった。

女主《おんなあるじ》が両眼を見開いて、手で板の間に上がるように指し示した。

「犬を伴っておる、残りものでよい。与えてくれぬか」

女が頷くのに、

「酒があれば酒を所望したい。少し多めにな」

と願った。

囲炉裏端に座した影二郎は、だれぞ江戸に向かう者はおるかと聞いた。かたわらに卜筮《ぼくぜい》を携えた陰陽師が名乗りを上げた。

女主が運んできた茶碗と徳利を一座におこまが回した。

「わっしらに、ですかえ」

泊まり客らが振る舞い酒に驚いた。

「下心はない。遠慮なく呑んでくれ」

と自ら茶碗酒に口をつけると陰陽師が、

「佐久間登善と申す。ご馳走になってよいのでござるか」

と名乗り、頷く影二郎に破顔した登善は喉を鳴らして茶碗酒を呑んだ。

それが合図のように酒盛りが始まった。

「江戸に戻る道中でござるが、なにか用か」

「江戸に直行するのであれば、浅草の長吏頭どのに書状を託したい」

「急ぎの用で戻る道中、なんの支障があろうか、承《うけたまわ》る」

「手紙は後刻用意する」

と応じた影二郎は一座の者に聞いた。

「秩父から信州佐久郡川上村金峰の里に峠越えする道は志賀坂峠の外にもあるか」

おこまが江戸で用意した絵地図には志賀坂越えしか記載がなかった。

「浪人さん、金峰の里にいくなら十文字峠越えが近い。荒川にそって大滝村を上り、栃本の関所から尾根沿いに十文字峠を越えれば、千曲《ちくま》川の源流の梓《あずさ》山に出る。そこから二里も下れば金峰の里だ。志賀坂越えより近い」

山伏が教えてくれた。

「志賀坂越えと十文字峠越えではどちらが険阻《けんそ》か」

「侍、虚無僧、女、渡世人連れの一団を追っておる。その者たちがどちらの峠を越えたかと思ったのでな」

鉦叩きは女の旅芸人を連れ、犬まで伴った影二郎を訝しげに見た。

「まあ、志賀坂峠が無難じゃな」

「秩父を抜けたのは確かかな」

「三日前、正丸峠を越えたまで分かっておる」

「ならば秩父から信州へはこの二つのどちらか」

鉦叩きの答えに影二郎はふと思いついて口にした。

「そなたらの中で明日この地に止まれる者はおるか」

「虚無僧の一団がどちらに向かったか探るので？」

鉦叩きが聞いてきた。

頷いた影二郎は、

「聞き込みに加わってくれた者には一日一分の働き料を出す」

鉦叩きが目を丸くして影二郎を見ると、

「その虚無僧らの一行、よほどの者か」

と聞いた。

一分は一両の四分の一、日当としては法外だ。

「伝馬町の牢を切放にあったあと、江戸を逃げた偽虚無僧の神谷無門じゃ」

「偽虚無僧？」

「舞々の無左衛門と申してな、弾左衛門どのの息がかかった者であった」

「なにっ！　二十九職の人間がそのような仕儀を、ゆるせぬな。浅草のお頭のためになることじゃ、わしは聞き込みに回ろう」

鉦叩きが名乗りを上げ、巡礼者や壁塗職人ら五名が聞き込みに加わることになった。

「無左衛門を含む一行は侍姿が二人、若い女が一人に渡世人風の男が一人か二人の五人か六人のはずじゃ。それがしはそなたらの帰りをこの宿にて待つ」

影二郎は懐の財布から一分金を出して五名の者に前払いした。

夕げの後に影二郎は囲炉裏の明かりで常磐豊後守秀信にあてた手紙を認《したた》めた。

正丸峠で出会った大目付、道中奉行兼務の秋水左衛門丞の配下近石十四郎が剣客団を率いて伊丹主馬を追跡している経緯を認め、そのことを問い合わせる手紙であった。

書状は闇から幕藩体制を支える浅草弾左衛門経由で秀信の下に届けられることになっている。

「道中の酒代じゃ」

陰陽師の佐久間登善には書状と一緒に一両を渡した。

「たしかに承った。明後日の昼前にも弾左衛門様の手元にお届けいたす」

秩父大宮郷から正丸峠越えで二十二里（およそ八十八キロ）、峠越えの道だ。常人の足なら三日はかかる。そこを一日半で走破するという。

「頼む」

翌朝、影二郎が目を覚ました時、佐久間登善ら泊まり客の姿はなかった。鉦叩きらも七つ(午前四時)には流れ宿を出立したという。

「今ごろは正丸峠に差しかかっているかねえ」

女主が答え、影二郎は囲炉裏端に座した。

「女芸人さんも犬を連れて出かけられたよ」

おこまの遊芸の道具は部屋の片隅においてあった。

その日、影二郎は流れ宿を動かなかった。

最初に情報をもたらしてきたのはあかだった。あかの赤い紐輪には手紙が結びつけられ、伊丹主馬らが秩父霊場十九番札所竜石寺前の旅籠武州屋に泊まり、三日前の早朝に出立したことが書かれてあった。さらに志賀坂峠への街道を探索に出ていた壁塗職人と巡礼らが相次いで戻ってきたのは八つ半(午後三時)過ぎだ。

「お侍さん、無左衛門の一行は志賀坂峠じゃないな。小鹿野村の先まであたったが一行が通り過ぎた形跡はないぞ」

二人ともに同じ意見だ。

「ご苦労であったな、酒が用意してある」

二人はうれしそうに礼を述べて流れに足を洗いにいった。

次に戻ってきたのは荒川の源流へと辿《たど》る十文字峠越えを探りにいっていた山伏ら三人が戻ってきた。

「一行は六人でございましたよ」

山伏が意気揚々と告げた。

「旦那のいうように侍が二人、女が一人に、偽虚無僧の無左衛門、それに背の高い渡世人と鼠のような面付きの小男が従っていましたぜ」

どうやら切放の一行に鼠の久六も加わっている気配だ。

「やつらは荒川村を三日前の昼前に通り抜けております。あの先は大滝村から栃本の関所だ。もはや十文字峠越えとみてようございますよ」

「よう調べてくれた」

「あとを追いなさるか」

「そうせざるを得まい」

四日の遅れとなる。もはや一行は川上村金峰の里に辿り着いた頃合であろうか。

「お侍、山はしぐれておるそうな。無左衛門らはそう易々《やすやす》と峠越えはしておりませぬよ」

と鉦叩きが影二郎を慰めるように言った。

おこまが戻ってきたのは日が落ちてからだ。

背に山越えの食料やら綿入れ、草鞋などを担いでいた。

「遅くなりましてございます」

「その顔は十文字峠越えを覚悟した顔じゃな」

「険しい道を選んだ様子にございますな」

おこまと影二郎は頷き合い、明日からの難行に思いを馳せた。

その夜の囲炉裏端で影二郎らは、巡礼者たちから十文字峠越えの避難小屋やら水場を懇切《こんせつ》に教えられた。

「世話になったな」

その夜は早々に酒宴を切り上げた影二郎とおこまは一座の者に別れを述べると眠りに就いた。

夜明け前に荷物を背負った影二郎とおこまは流れ宿を出ると荒川の源流を目指した。

空が白々としてきたのは下郷の里あたりであった。

「休むといたすか」

昨晩のうちに流れ宿で用意してもらった握り飯に菜漬けで朝飯を食した。

あかにはおこまが大宮郷で買い求めてきた猪の干し肉が与えられた。

腹を満たした主従は再び荒川の峡谷《きょうこく》沿いにひたすら上りつめた。

昼過ぎ、おこまとあかだけが大滝村麻生で栃本代官所の加番所を通過した。

「入り鉄砲に、出女」

を警戒するために慶長十九年（一六一四）に幕府は栃本集落に関所を設けた。

だが、信州佐久、甲州川浦領に越える旅人は栃本関所通過の前にまず加番所で手形に印鑑を貰うのが決まりだ。

加番所役人は犬を連れた旅芸人のおこまに不審な目を向けたが、勘定奉行所の手形を差し出されて、黙って印鑑を押した。

さらに荒川の岸辺を進むとさらに峡谷は険しくなり、視界が塞がれた。

急な斜面には冬を越した柿の実が枝に二つ三つ残って、それを鳥が突ついていた。

ちらほらと見掛ける家は急崖《きゅうがい》に石を小詰み、谷間を吹き下ろす風のためか、屋根の低い造りだ。

天領地の栃本関所は伊奈忠次が代官の折りに造られ、大村氏が代々藩士格で番所役人を務めた。

この地から十文字峠越えの信州道と雁坂《かりさか》峠を越えて甲州の川浦領三富村に抜ける秩父往還とに分岐する。

おこまが栃本の関所に辿りついたのが八つ半（午後三時）前のことだ。

ここでも関所役人は旅の女芸人のおこまに警戒の目を向けた。だが、おこまは公用手形を持参した上、加番所の印鑑もあった。

「三日ほど前になります。虚無僧を交えた侍二人、女一人、渡世人二人の六人連れが関所を通ったことはございませぬか」

おこまが聞いた。

「この関所を通るのは日に百人ほど信州の善光寺、甲斐の身延山、秩父の三峰山に参詣《さんけい》往来する者ばかりでしてな、これらの巡礼者の他にさような者が通過したことはないな」

と関所役人が否定した。

「荒川村を三日前に通過しておるのは分かっております」

「秩父の山を知った修験者《しゅげんじゃ》か杣人《そまびと》ならいざ知らず、抜け道を通って関所破りとは解せぬなあ」

役人が小首を傾《かし》げた。

「信州川上村金峰の里の人間が混じっております」

「ならばその者が手引きして裏道伝いに関所を破ったことは考えられる」

おこまは関所を出ると西に傾いた陽を見た。

まだ日没には一刻（二時間）ほどの間がありそうだ。初めての山道だ。栃本の集落に泊まって早朝立つのが無難の選択と分かっていた。そんなことを考えるおこまの前に関所を裏道で抜けた影二郎がふらりと姿を見せた。

勘定奉行常磐豊後守秀信の私的な配下の影二郎には公用手形はない。関所を迂回《うかい》する山道を通り抜けてきたのだ。おこまが関所役人から聞いた話を告げると、

「主馬らもおれと同じ抜け道を辿ったか。ともあれ、日のあるうちに少しでも稼いでおこう

と影二郎が決断した。

十文字峠越えは栃本の関所の先から、信州秩父往還と呼ばれる尾根道を白泰山《はくたいさん》五千四百尺余（千七百九十四メートル）の北側の中腹を巻いて進み、赤沢山と大山を抜けて六千余尺（二千二十メートル）の十文字峠にいたり、信州との境を越えて八丁坂から千曲川上流の梓山集落へと抜ける、およそ七里強（およそ二十九キロ）の行程である。

山道に慣れた修験者は栃本を早朝に出て、梓山にはその日のうちに辿りつくという。

影二郎らは夕刻前からの峠越えだが、山中の野宿覚悟で準備を調《ととの》えていた。

「参ろうぞ」

主従は十文字峠越えに踏み出した。

里道が切れて細い山道と変わった。急勾配《きゅうこうばい》の細道は小さな神社の社前からさらに険しくなった。赤い首紐につけた鈴をちりんちりんと鳴らしたあかが先頭に立って、ひたすら高度を稼ぐ。

鈴はおこまの腰にもあり、熊避《よ》けであった。

一つ山を越えたところで視界がふうっと開けた。

行く手に果てしなき冬の名残りの山が連なって続いていた。

灰色の空は天候が崩れる予兆なのか。

山道は折り重なった樹林に入りこみ、あたりは急激に暗く、そして冷え込んできた。その上に坂はさらに厳しいものになった。

「あそこに……」

およそ一刻後、樹林を抜けたところでおこまが声を上げた。

栃本と梓山の尾根道に一里塚ならぬ一里ごとに観音様が安置されているという。それは栃本から十文字峠に四体、峠から梓山の里までに二体あった。

おこまが教えたのは一里観音だ。信州からの峠越えの者にとっては六里観音である。

西に傾いた薄日に照らされた笹の中に身の丈三尺ばかりの石の野観音が鎮座して、そのかたわらで修験者が竹筒から水を飲んでいた。

「率爾《そつじ》ながら伺いたい」

山伏が影二郎を見た。

「山中にて虚無僧、侍、渡世人、女ら六人の一行と出会わなかったか」

山伏がこくりと頷くと、

「昨日の昼過ぎに十文字峠下で擦れ違いましたぞ。しかし見たのは五人……」

「五人……」

「虚無僧に侍二人、女が一人に渡世人が一人であったな」

「渡世人は身の丈《たけ》六尺近い男でしたかな」

「いや、五尺にも満たない小男であった」

礼五郎は別れて行動し、鼠の久六が未だ同行している様子だ。

「このところ春の吹雪が吹きつけたでな、二里観音の避難小屋に二日余り足止めを食っていたと申しておった」

礼を述べる影二郎らに合掌を返した山伏は栃本の関所へと下っていった。

「おこま、われらも二里観音の避難小屋まで急ごうか」

影二郎らは日が落ちるのと競争するように二里観音の避難小屋まで息を切らせて歩き続ける。六千尺余の白泰山の巨きな影を左手に見ながらひたすら歩く。

旅にはなれているはずの影二郎やおこまでさえ息が上がった。

それに早春の日没がすぐそこまで迫っていた。

影二郎らが野宿をせねばなるまいかと半ば覚悟したとき、

「どうにか間に合いましたぞ」

とおこまが安堵の声を洩らし、あかが鳴いた。

笹藪の中に避難小屋があって、薄闇に小さな明かりが洩れている。

三

避難小屋には三峰神社参詣に峠越えする佐久郡からの三人連れの男女が粗朶《そだ》を燃やして鍋に

山菜などを入れたそば粥《がゆ》雑炊を作っていた。

小屋は土間と板の間を合わせて四畳半ほどの広さだ。

「すまぬが相宿にしてくれぬか」

影二郎がたのむと年かさの男が、

「どうぞ上がってくだせいよ」

とおこまと影二郎の居場所を作ってくれた。

おこまが昼の残りの握り飯を出し、影二郎も竹筒に入れてきた酒を勧めると先客たちもそば粥雑炊を二人に分けてくれた。あかにはおこまが干し肉を与えた。

「お侍さんらは善光寺参りにいかれるか」

わずかな酒に顔を赤らめた年かさの男が聞いた。

「いや、川上村に人を訪ねていくところだ」

「それで峠越えを……」

江戸から信州佐久に向かう場合、甲州道中を利用して須玉村から小海《こうみ》村を抜けて佐久へと上っていくのが、まずは無難な道筋だ。それをわざわざ六千尺余の尾根伝いに抜けるなど、三峰講の男が驚くのも無理はない。

「ちと事情があってな」

と答えながら、

「金峰の里に伊丹主馬と申す者の一族が住んでおるそうな。一族の名は分からぬがそこを訪ねていく道中だ」

「ならば、里の名が姓名の金峰様のご一族ですよ。なんでも千曲川に流れこむ金峰山川ぞいの金峰渓谷に昔から住んでおられるそうじゃ。清和源氏以来の名家も貧して気位ばかり高いとか、そんな評判でしたがな。十数年前から盛り返されたそうな。荒れ放題の屋敷も塀も土蔵もきれいに直しなさったとか、千曲川沿いにそんな噂が流れておりましたよ」

「十数年前から盛り返したには理由があるのか」

「なんでも江戸に出た一族の一人がえらい出世をなさったとかなさらねえとか。十一代の金峰《きんぽう》庸左衛門《ようざえもん》様は、江戸と川上村を行き来なさってえらい羽振りという話じゃがな」

男たちは千曲川沿いに梓山集落まで上ってくる道中でも伊丹屋敷に向かう大八車を見たという。

「金峰渓谷には金峰一族はいかほど住んでいような」

「さあてそこまでは知らねえだよ」

男たちの住む相木村と川上村は天狗山、御陵山《おみはかやま》、高天原《たかまがはら》など東西に連なる六千尺余の山並みに阻まれ、交流はないというのだ。

食事を終えた三峰参りの男女は火の周りに寄り添うように眠りこんだ。梓山からの峠道がそれほどに険しいことを示している。

「伊丹主馬が十一代の庸左衛門にございましょうかな」

「金峰渓谷にいってみるしか確かめる途《みち》はあるまい。それまではいらざる考えはせぬことよ」

あかの寝息が土間から聞こえてきた。

影二郎は囲炉裏に粗朶をくべるとそのかたわらにごろりと横になった。するとおこまが用意してきた綿入れを影二郎にかけてくれた。

「おこま、そなたも体を休ませておくことじゃ。明日も峠道は続くからな」

はい、と返事したおこまが遠慮がちに綿入れの中に身を滑らせてきた。

影二郎はおこまの温もりを肌に感じながら眠りに落ちた。

夜明け前、小屋の外の笹藪で小便をしながら夜空を見上げるとおぼろに星が散っていた。

「あか、よい天気になるとよいがな」

あかはどことなく落ち着かない様子で峠道に向かって身構え、背の毛を逆立てていた。近くに獣でも潜んでいるのか。

「ここらはやつらの棲家じゃ、われらはただの通行人よ」

あかをなだめて避難小屋に戻った。すでにおこまと講中の女が残り雑炊にこれも残った握り飯をほぐし入れていた。

一夜の宿りをともにした五人は雑炊を掻《か》きこみ、火の始末やら小屋の掃除を済ませて出立の準備を終えた。

「世話になったな」

「お侍方も気をつけてな」

猪の皮を腰に巻き、蓑《みの》の下の鍋まで背負った男が影二郎とおこまに別れの挨拶をした。

影二郎らは白泰山の斜面を栃本の集落へと進む講中の男女を見送り、

「さてわれらも行かねばなるまい」

避難小屋から梓山まで四里六丁である。峠道の四里は丸一日かかることを覚悟せねばならなかった。

白み始めた峠道に朝露が光り、靄が漂っていた。そのなかをあかを先頭に信州を目指す。開けた場所にくると谷間に雲海が広がっていた。

峠道は標高五千二百尺余（千四百メートル）、その下に雲の海を見るのはなんとも幻想的であった。

「なんとまあ、このような景色を未だ見たことはありませぬ」

しばし足を止めたおこまが嘆息した。

笹藪がとぎれ、岩場に入った。

それは五千五百尺余（千八百十九メートル）の赤沢山の北麓《ほくろく》を通過していることを意味した。

峠道とはいえ修験道、参詣道で人の交通は絶えないので踏み跡を辿れば迷うことはない。が、この日に限って行者にも参拝者にも会わなかった。旅慣れた二人もその歩みは遅々としてはかどらなかった。

影二郎はあかの首の鈴の音が時折り不規則に途切れることに気付いていた。立ち止まっては後方を確かめる様子を見せるのだ。

「どうしたのでございましょうな」

荒い息の下からおこまも気にしていう。

「われらを尾《つ》けておるものがおるらしい」

「こんな山中でございますか」

「山中だからさ」

「熊、でございますか」

「冬眠を終えた熊は腹を空《す》かせておるという」

おこまがぶるっと身を震わした。

「どうしたもので」

「せいぜい鈴の音を鳴らして進むしかあるまい」

影二郎はあかの首から鈴を外した。

「おこま、おれの前を行け」

影二郎は手で鈴を振りながら、おこまの後を行くことにした。

薄い靄が谷間から這い上がってきたせいで三里観音は見落とした。道を間違えてないことは行く手に大山が立ちふさがっているので確かめられた。その大山を右手に躱《かわ》した。

「影二郎様」

おこまが歓声を上げた。

景色が広がり、石南花《しゃくなげ》の生い茂る中に十文字山小屋の板屋根が見えた。あかが走っていく、おこまと影二郎が従うと小屋の前に水場があって、小さな池になっていた。

あかが顔を水につけて際限なく飲んだ。

二人も岩場を伝う水で喉を潤《うるお》し、竹筒に補充した。

「峠はこれから。少し早いがお昼にしますか」

おこまが干飯を出して水に浸した。米を蒸して乾かしてあるのですぐに柔らかくなり食べられた。戦国の世の戦時食であり、旅の人間の常備食だ。

あかはおこまに干し肉をねだり、一切れ二切れもらっている。

腹を満たした影二郎は立ち上がるとおこまの腰の鈴を外させた。

無音になった一行をその日最大の難所が待ちかまえていた。険しい岩場が続き、さらに細く尖った尾根が延びて、さすがのあかも腰が引けていた。

そろりそろりと半刻（一時間）ほど行くと四里観音が見えた。座像で左手を膝に、右手を頬にかけられて物思いに耽《ふけ》る如意輪観音である。

おこまが息を整えると両手を合わせた。

影二郎も瞑目《めいもく》した。

目を開けた二人の目に石の道標が見えて「梓山二里六丁」と刻まれていた。

高度を上げたせいか下草は丈が低く、強風に這い立っていた。積み重なった落ち葉を踏みしだき、倒木を越えて進むと十文字峠に出た。

馬の背の東は秩父、西は信州だ。

影二郎らは峠で休むことなく先を目指す。

「おこま」

と影二郎が声をかけたのは少し開けた石南花の畑であった。

影二郎は小さな岩場に背の荷を下ろすと腰をかけた。山道を歩いてきたせいで全身に汗をかいていたが、それもすぐに引っこんだ。

おこまも影二郎も無言のままに岩場に座していた。

風が秩父から吹き下ろし、風景が開けた。

すると影二郎らが通ってきた峠道に細い尖った黒い影が浮かんだ。修験者や善光寺参りの善男善女の姿ではない。

あかが立ち上がると低い唸り声を上げた。

「あか、静かにしておれ」

長身の首に紺手拭いが巻かれ、端が胸と背になびいていた。着流しに三度笠を被り、腰に長脇差を帯びている。

寒さを凌《しの》ぐためか、蓑を肩から羽織った姿がどことなくおかしかった。

ゆっくりと影二郎らのいる場所に歩み寄る男の右手は懐に入っていた。

八間（十四メートル）まで近付いた男の相貌を確かめた影二郎が尋ねた。

「美人局《つつもたせ》の礼五郎か」

「美人局《つつもたせ》？」

男は考えこんだがふいに笑った。

「おもしろい話じゃねえか」

「過日、伝馬町の牢に赤猫の舌を入れる手筈を調え、切放の手引きをした神田無宿の礼五郎ならどうだ」

「おまえさんは何者だえ」

男が三度笠の下から鋭い視線を投げた。

影二郎と男が対峙《たいじ》する風下半丁の藪陰に金峰集落から男を迎えに峠越えしようとしていた飛脚の典助《てんすけ》が潜んで、聞き耳を立てていた。

だが、神経を相手に遣う礼五郎も影二郎も気付かなかった。

「女は栃本の関所で勘定奉行の手形を出したようだな」

「尾けていたのはおまえか」

「鈴の音を途中で消しやがって小細工が過ぎたな。頭が後からくる者に気を配れとおれを大滝村で別になさったが、まさか勘定奉行所の探索方とはな」

「そなたが待ち受けていたのは道中奉行を兼務する大目付の者か」

「ほお、それを知っているところを見ると途中で行き合ったな」

「正丸峠で秋水どのの支配下近石十四郎なる者が浪人剣客を引き連れて、そなたらの後を追っているところに行き合うた」

「頭の見込みどおりかえ」

と頷いた男は問うた。

「金峰集落を訪ねる気かえ」

「伊丹主馬と金峰一族に関心があってな」

「江戸で八州廻りやら代官を始末して歩いた男の話を聞いたことがある。八州も代官も勘定奉行の支配下にある。そやつが道中方の伊丹主馬様に目をつけたとしてもおかしくはないが……」

「礼五郎、そなたは伊丹の一族か」

「さてどうかな」

薄く笑った礼五郎は、懐に入れた右手を襟の間から出すと無精髭の生えた顎を撫でた。

影二郎はそれを見ながら立った。

「ほおっ、一本差しかえ」

影二郎の腰には薙刀《なぎなた》の法城寺佐常を二尺五寸三分（約七十七センチ）に鍛《う》ち変えた長刀があった。薙刀を詰めただけに切っ先の反りが強く、先反佐常と異名されている。

「名はなんと言いなさる」

「夏目影二郎」

「待ちねえ、おめえは鏡新明智流の桃井道場の鬼かえ。頭がいつか気になさっていたが桃井の鬼が勘定奉行の走り使いとはな」

かつて夏目瑛二郎は「位の桃井に鬼がいる」と恐れられた剣士であった。そのことを礼五郎は知っていた。だが、驚いた様子もない。

「礼五郎、伊丹らは道中方の職権を利して、五街道から上がってきた没収品を横領して換金、金峰の里に隠したか」

「その一件は佐竹吉勝って道中方組頭が自害して事は落着したって話だぜ」

「美人局《つつもたせ》の礼五郎は女ばかりか、公儀のことにも詳しいようじゃな」

礼五郎がけけけっ、と奇声を上げて笑った。

「伝馬町、東の大牢の名主亀松を惨殺したはそなただな」

「赤猫の一件を喋《しゃべ》られてもかなわねえ。婆婆で息を引きとったんだ、島にも流されず極楽往生だぜ」

「勝手な理屈を……」

礼五郎は肩から蓑を振り落とすと襟の間から出していた右手を再び引っ込めた。

影二郎は蓑についた三峰詣での白い布を見た。

「三峰参りの三人になにをした」

「おめえのことを聞いただけよ」

「その蓑はどうした」

「頂きものだぜ」

「まさか……」

おこまが悲鳴を上げた。

「どうやら殺害したと見えるな、許せぬ。美人局《つつもたせ》の礼五郎、おぬしの死に場所は十文字峠じゃ」

影二郎が間合いを詰めた。

すると礼五郎は懐手のまま、左へと移動した。だが、手を抜く気配はまだ見せない。

おこまは、二人が対決の間合いに入る瞬間を固唾《かたず》を飲んで見守っていた。

着流しに一文字笠と三度笠、長身の二人の体形は驚くほど似通っていた。だが、醸《かも》し出す雰囲気はまるで対照的だ。

礼五郎の痩身《そうしん》からは死と血の匂いが発散され、影二郎の体からは春にたなびく霞《かすみ》のような朦朧《もうろう》とした陽気が漂ってきた。

（それにしても礼五郎の落ち着きぶりはどうだ）

おこまは不思議に思った。

女を泣かせて世の中を渡ってきた美人局《つつもたせ》の礼五郎は桃井道場の鬼と恐れられた影二郎の剣をどう受け止める気か。

間合いは五間に詰まっていた。

影二郎も三度笠の下から投げられる暗い眼光を見据えながら、

（右手をどうして出さないのか）

と考えていた。

礼五郎がふいに横走りした。

その瞬間、影二郎は、

「美人局《つつもたせ》の礼五郎」

ではなく、

「短筒《つつもたせ》の礼五郎」

ということに気付かされた。

礼五郎の襟の間から黒光りする連発短筒が突き出された。

「影二郎様！」

影二郎の手が一文字笠の縁に掛かり、竹の骨の間に隠された唐かんざしの珊瑚玉をつかんでいた。

あかが猛然と礼五郎に向かって突進した。

ちらりと見やった礼五郎は、三年前の天保七（一八三六）年に阿米利加で造られた輪胴式の連発銃の引き金を引いた。

その直前、あかが礼五郎の足にかぶりついた。

同時に影二郎の手が捻られ唐かんざしが宙に飛んだ。

礼五郎の放った弾丸はあかが足首に食らいついたせいで狙いがそれて、影二郎の左腕の肉を殺《そ》ぎとった。

唐かんざしは礼五郎の胸部に突き立った。

それにはかまわず礼五郎は二弾目の引き金に力を入れた。あかが四肢《しし》を踏ん張り、顔を左右に振った。

弾丸が逸れるのを見ながら、影二郎が走った。

「礼五郎、切放を画策して破牢した罪軽からず、江戸に送る手間も煩わし。そなたの素っ首、先反佐常が斬り落としてくれる！」

二尺五寸三分の豪剣が鞘走り、一条の光になって車輪に回された。

三発目の引き金を引こうとした礼五郎の右手を肘《ひじ》から両断した先反佐常は、

の喉首を掻き斬って血しぶきを十文字峠に撒き散らしていた。

「なんと短筒の礼五郎が殺《や》られやがった」

飛脚の典助は、つぶやきを峠に残すと峠から獣道を伝い、金峰集落に背を丸めて走り出した。

典助は健脚の修験者が一刻半（およそ三時間）かかるところを半刻（一時間）で駆け下っていった。山走りは金峰の里の金峰屋敷と内藤新宿などを連絡に走り回されている典助の特技だった。

「気がつくのが一瞬遅れていたら、倒れたのはこっちだったぜ」

影二郎は安堵の吐息を吐《つ》くと、あかの名を呼んだ。

「そなたが夏目影二郎の命を救ってくれた、ありがとうよ」

あかは頭を撫《な》でられて逆立っていた背の毛をようやく下ろした。

影二郎は先反佐常に血ぶりをくれて鞘に納めると、礼五郎の腰帯につけた皮袋を外した。そこには薬莢《やっきょう》が装着された銃弾が二十数発入れられてあった。

「異国では火薬を弾丸の尻に装塡した連発銃が造られていると聞いたが、これだな」

おこまが斬り飛ばされた礼五郎の右手が摑んでいた輪胴式の短筒を提げてきた。まだ輪胴内に三発の実弾が残っていた。

「金峰一族が五街道で没収した禁制品の一つやもしれぬな」

「短筒《つつもたせ》の礼五郎」

影二郎はおこまの手から受け取った短筒を掌の上で確かめていたが、

「おこま、そなたの父上は道雪派の弓の名人じゃ。娘のそなたにも飛び道具の勘は伝わっておろう。馴れると役に立つぞ」

菱沼喜十郎の弓術の腕前を影二郎は知っていた。

弾丸の皮袋と一緒に短筒をおこまに渡した。

「使いこなせますかな」

短筒をかまえては重さを手になじませていたおこまが溜め息をついた。

「異国の人は大きな体で力も強いそうな。私、片手なんかじゃとても支えきれませんよ」

「両手で扱うことさ、おこま」

「そうでしたね、その手がありましたっけ」

おこまは両手に握った短筒を虚空に突き出し、

「これなら私にも使えるかもしれませぬ」

「いずれ短筒《たんづつ》おこまと名を変えなきゃなるまいぞ」

背の荷に阿米利加製の古留止《コルト》連発短銃が終《しま》われた。

影二郎は通りがかりの修験者や講中の男女を驚かさぬように礼五郎の遺体を石南花の畑に運び、体の上に石を載せて、獣の餌にならぬように埋葬した。

「さて信濃への道を降りるか」

梓山の里に下る八丁坂は急な斜面にうねうねとした九十九折《つづらおり》の細い道だ。夏場になると馬も通うというが、足を踏み外せば千尋の谷に転がり落ちる。それでも上りに比べればなんぼか楽である。

千曲川の上流の河原に下ったとき、陽の傾きからして七つ（午後四時）過ぎの刻限であった。峠で対決を制した影二郎らはおよそ二刻（四時間）もかけて峠を下ってきたことになる。

梓山の里に下りると村人が騒いでいるのが見えた。

行く手の夕空が赤く染まっていた。

「いかがいたした」

小手を翳《かざ》して燃える空を見つめる老婆に聞いた。

「金峰の里あたりで火事なんですよう」

「おこま、急ごうぞ」

疲れた体に鞭を打って影二郎とおこま、それにあかの主従は千曲川に流れこむ金峰山川に沿って渓谷沿いに道を急いだ。

四

朝靄の中に金峰屋敷の無残な姿が見えていた。

金峰山川の流れのそば、見事な竹藪を背景に石垣の上に築かれた屋敷と三棟の土蔵と納屋《なや》、長屋門と築地塀は猛火に一晩じゅう燃え続け、明け方、死臭を漂わせて鎮火した。

金峰一族が住む金峰の里は焼け落ちた本家を中心に数十家の親類縁者が谷のあちこちに点在していた。その本丸というべき本家は昨日の夕暮れ前に火を噴いたという。

影二郎らが駆けつけた時、屋敷の屋根を火が噴き上げて燃え広がろうとしていた。もはやどうすることもできない。里の人々とともに影二郎とおこまは燃え続ける金峰屋敷を眺めて夜を過ごした。

屋敷の火が裏山に移る気配がないと見とどけた梓山の村人は夜明け前には村に帰った。

金峰の里に残ったのは一族の親類縁者数十人の老人ばかりだ。

彼らは一様に押し黙り、ただ火の手を見つめていた。

影二郎は焼け落ちてくすぶる屋敷に踏み入った。

大黒柱や巨大な棟木《むなぎ》が燃え残ったが屋敷の元の様子を想像することはできなかった。それだけ火の手が早く回ったことを意味していた。

またくすぶる柱や瓦《かわら》の下には炭化した人間の死体が煙を上げていた。

(なにが起こったのか)

屋敷から蔵に回った。

蔵の白壁は何事もないかのように建っていた。が、鉄の表戸はひん曲がり、屋根は抜け落ちて内部に猛火が入ったことを示していた。残りの蔵もすべて燃え落ちて、一棟の納屋からは味噌の焦げた臭いが漂ってきた。

屋敷から嗚咽《おえつ》の声が上がった。

「庸左衛門様……」

影二郎が屋敷の表玄関に戻ると老人たちが焼け跡から亡骸《なきがら》を引き出そうとしていた。

崩れ落ちた長屋門の前では老僧が経を手向《たむ》け、かたわらにおこまが佇《たたず》んでいた。

「金峰一族の檀家寺《だんかでら》、龍願寺《りゅうがんじ》住職日傳《にちでん》様にございます」

おこまの声に老僧が経を止めて影二郎を見た。

「そなたらは一晩じゅうこの場におられたそうじゃな。なんぞいわれがあってのことであろう」

遺体を収容する老人たちに、

「遺骸は寺に運んできなされ」

と命じた日傳は金峰屋敷を後にした。その後ろ姿には影二郎らが付き従ってくることを確信したことが見てとれる。

龍願寺は金峰の里から三、四丁も金峰山川を下った高台に建っていた。

日傳和尚は影二郎らを伴い、山門を潜ると庫裏《くり》には向かわず、本堂の横手に広がる墓に足を向けた。苔むした墓石の中でも一際立派な金峰家代々の墓所にくると、

「ここには十代の庸左衛門様が眠ってござる。今朝またもう一人の庸左衛門様を埋葬することになりそうじゃな」

と言うと経を上げた。

(十一代伊丹庸左衛門も亡くなったということか)

影二郎とおこまも瞑目した。

「そなたらは何者かな」

ふいに日傳が問うた。

「幕府勘定奉行所に関わりの者にございます」

影二郎は日傳には腹を割るしかないと思った。

「勘定奉行所とな」

日傳和尚はつぶやくように言うと、

「朝げなと一緒にしようか」

と墓所を後にした。

庫裏では寺男が竈《かまど》の前に座って火吹き竹を使っていた。

「この方々にも粥をな、それに犬を伴っておられる。なんぞ餌を見繕《みつくろ》って進ぜよ」

日傳は二人を本堂に伴い、朝の勤行《ごんぎょう》を済ませた。その上で二人を庫裏の一部屋に案内した。

すでにそこには箱膳に粥と香《こう》の物《もの》が用意されてあった。

「山寺のことじゃ、なにもない」

影二郎とおこまは合掌すると粥を食した。柔らかく炊かれた粥が一晩じゅう外にいて、火を見続けていた影二郎とおこまの臓腑にやさしく収まった。

「馳走にございました」

礼を述べる影二郎に日傳が、

「江戸からわざわざ金峰までこられたいわれを話して下さるか」

とまず影二郎らの来訪の理由を問うた。

影二郎は伝馬町の切放に始まる一連の経過を告げ知らせた。

「……なんと十文字峠越えで参られたとな」

日傳は影二郎らが奥秩父から険阻な山道を越えて伊丹主馬らを追跡してきたことに驚きを示した。

「ささて、なにがあったのやら皆目見当もつかぬが愚僧の知ることをお話し申そうか」

と断った日傳は、

「伊丹主馬ら一行が金峰屋敷に戻ってきたのは、二日前の深夜のことのようじゃ。次の朝、屋敷で慌ただしく荷造りがされ始めたそうな」

「主馬は金峰一族の十一代目の血縁の者にございましょうな」

影二郎は日傳にそのことを問い質した。

「主馬の家は分家筋じゃ。江戸に出た四代前の主が小金を溜めて、伊丹という御家人株を手に入れて、二本差しに出世したそうな。無役の伊丹家が御勘定所に勤めるようになったのが三代前、なんとか日の目を見たのが先代の馬之助どのの代でな、うちの墓も立派に建て直された。その馬之助どのの勧めで本家の先代金峰庸左衛門様が江戸に出られて、薬種問屋を開かれてな、これが当たった。それまで屋敷も蔵も荒れ果てておったものが、急に盛り返された。十年も前か、十一代目の庸左衛門様に代わられて屋敷も蔵も手入れをされてな、金峰と江戸を行き来なさる、忙しい暮らしぶりじゃあ」

「薬種問屋が江戸のどこにあるかご存じか」

「なんでも内藤新宿にある金峰伊丹と聞いたことがある」

「庸左衛門どのは近ごろ金峰の里におられたか。それとも江戸に出ておられたか」

「寒さをこじらせてこのところずっと屋敷で治療に当たっておられたそうじゃ」

「主馬一行と庸左衛門どのは当然会われたのでしょうな」

「作男の話では主馬が庸左衛門どのに面談されてから、引っ越しでもする騒ぎになったそうな」

「火事は火付けにございますか」

日傳和尚が頷くと、

「本家に出入りの者たちの話によりますと庸左衛門どのと主馬らの間で激しい口論があった様

子で、その後に悲鳴があちこちから起こり、火の手が上がったと申します。主馬らが庸左衛門様ら本家の家族と住み込みの者を斬り殺して、火を放ったことまでは分かっております。その後、主馬一行は何台もの大八車を引いて、火事場から立ち去ったそうな。三台の大八には重いものが積まれていたと里の者は申しております。愚僧の知るところはそんなものでな……」

そういった日傳は、

「庸左衛門様らのご検死やら弔《とむら》いの仕度やらありますでちと失礼します」

と断り、影二郎らには、

「まずは宿房で体を休まれよ」

と十文字峠越えの後、徹夜を強いられた二人を気遣ってくれた。

影二郎はありがたく申し出を受けることにした。

日傳が去り、寺男が宿房の一室に二人を案内してくれた。部屋の隅には布団が畳んであった。

「私がざっと数えましただけでも六、七人の死体がございました。主馬らはなぜ本家の主どの一家を皆殺しにしたのでございましょうな」

「主馬の分家は五街道から没収した禁制品を横領して、庸左衛門の本家が内藤新宿に開いた薬種問屋を通して売りさばき、換金していた。それを金峰の里の本家屋敷に蓄財していたとしたらどうなるな」

「江戸で破綻が起きた。そこで主馬と庸左衛門は急ぎ根城と蓄財金を金峰の里から別の場所に移すことになったが、これまで隠してきた金のことで揉《も》め事が起こった……」

「……まずはそんな推量が成り立つが、事件にはまだ隠されたことが多くある。主馬らが運び去った金を追う手もあるが、この里で起こったことを調べるのが先決であろう」

「私もそう考えます」

「ならば和尚のご好意に甘えて少し体を休めておこうぞ」

影二郎は布団を二つ敷きのべるとごろりと横になった。

八つ半（午後三時）過ぎ、影二郎が目を覚ました時におこまはすでに身支度を整えていた。

「本堂の前に九体の遺体が運ばれてきております。土地の代官所の役人と里の十手持ちが検死を済ませて、すぐにも埋葬するそうです」

おこまは見てきた様子を述べた。

「庸左衛門どのらの判別はついたのか」

「庸左衛門様は寝所に倒れておられたそうで着衣が一部燃え残り、愛用の煙管《きせる》もそばにあったので見分けがついたそうです。残りの方々は、倒れていた場所などで判別するしかないようです」

影二郎は部屋を出ると本堂前にいった。

筵がかけられた亡骸が並び、日傳和尚らが役人と十手持ちらしい男を送り出していた。

「検死は済まされたか」

「あまりにも損傷がひどいのでな、役人様も簡単な検死で済まさされたわ」

「本家の者で生き残ったものはおらぬのか」

「諍いの起こる前に使いに出された下男の竺三《とくぞう》じいがおりまする。愚僧に話をしてくれたものですよ」

日傳は山門のかたわらで茫然自失とする老爺を指した。

「話してもよいかな」

「自由になされ。土地の役人にはそなた様らのことは話しておりませぬよ」

と言い残し、墓所のほうに去っていった。

あかが影二郎の姿を見つけて飛んできた。見知らぬ寺で不安を感じている気配だ。

「あか、今しばらく辛抱せえ」

飼犬の頭を撫でると竺三のところに向かった。

「そなた一人が生き残ったそうじゃな」

竺三は煤《すす》と涙と目やにに汚れた顔を上げた。

「九体の遺体はだれとだれとだれだ」

竺三は口を開こうとしたがなかなか言葉が出てこぬ様子だ。どこで見ていたか、おこまが茶碗酒を持ってきて、

「喉の渇きをほぐしなされ」

と手に持たせた。おこまは竺三の酒好きを庫裏の寺男に聞いてきたのだ。

喉を鳴らして一気に飲み干した。ふーうっと息をついた竺三は、

「庸左衛門様に養子の茂太郎様……」

「庸左衛門には嫡男《ちゃくなん》はおらぬのか」

「娘のお久様がおられますがな、おっ母さんといっしょに江戸の店に出ておられますよ」

「内藤新宿にあるという金峰伊丹じゃな」

老爺が頷いた。

「では本家に残っていた者はだれか」

「住み込みの下男の平吉の一家四人に男衆が二人に女衆が三人……」

「ちょっと待ってくださいな。男衆は竺三さんを入れて二人ですか」

おこまが聞いた。

「わしと虎次と平吉の三人じゃあ」

「平吉さんには上さんと子供が二人おられた」

「そうじゃ」

「庸左衛門様、茂太郎さん、平吉一家四人、男衆二人、女衆三人、本家には十一人が住んでおられ、そのうちの竺三さんはここにおられる」

「残りは十人、見つかった死体は九体か。一つ足りぬな」

「そうなるかねえ」

笠三の答えは曖昧としたものだ。

惨殺を免《まぬか》れ逃《のが》れたか、火事場からまだ見つかってないか、それとも主馬に同調したものがいたかの三つが考えられた。

「伊丹主馬が庸左衛門を斬殺したというのは確かか」

影二郎が話題を転じた。

「その場は見てねえだよ。山から飛脚の典助さんが下ってこられて慌ただしくなっただよ」

「飛脚の典助……」

「江戸の店の飛脚だ。内藤新宿から金峰の里やらどこへやら走り使いをしているで足は滅法達者だ。昨日は主馬様の使いで峠にだれぞを迎えに出ていただ」

(戦いを目撃されていたか)

影二郎とおこまは顔を見合わせた。そう考えると辻褄《つじつま》が合った。影二郎らの追跡が主馬ら一味に知られ、そのことが金峰屋敷の異変を呼んだと考えられた。

「わしが出かける時には、分家の主馬様がお久様をくれろだのなんだのえらい剣幕でございましたよ」

「お久様をくれというのは嫁にするということか」

「いやさ、主馬様がお久様と所帯を持ってよ、本家の婿に入ろうという算段だ。そんで養子の茂太郎様を外に出すだのどうだの、罵《ののし》り合ってござったよ」

「庸左衛門はどう答えておった」

「茂太郎を今さら外に出せるかとえらい剣幕で抗っておられたぞ。そこまで聞いて使いに出されただ。おそらく旦那様が主馬様の言い分を断ったで、あの方と仲間が刀を振り回したのではあるめえか」

それが竺三じいの推量であった。

「主馬らは大八車三、四台になんぞ重き物を積んで金峰の里を去ったというが、そなたは見ておらぬのだな」

「会いましただよ。七軒屋でな、用を済ませたわれが、金峰の里に戻ろうとしていたと思いねえ、御所平の方から主馬様と仲間が二台の大八を引いて、大門川の方へ下っていったのを見ただよ」

「二台とな、たしかか」

「日は落ちていたが大八に御用提灯を点していたから間違いねえ」

「その中に飛脚の典助や行方の知れぬ男衆はいたか」

「女が一人混じっていたのは分かっただ。じゃが男衆は頬かぶりして笠被っていたでよ、わからねえなあ」

笠三は言った。

「甲州道中の方に出たのでしょうか」

おこまが聞き、

「あの道進めば甲州道中の武川村にぶつかるな」

と笠三が言い添えた。

「どうなさいますな」

おこまが影二郎に主馬らの後を追うかと聞いた。

主馬らは隠匿《いんとく》した十万両余の金をどこに運ぶ気か。それにしても金峰の里を出た大八車は三台か四台であったという。笠三が見たのは二台、残りの大八車は何処に行ったのか。江戸に戻るには危険過ぎた。となると第三の隠れ家が用意してあるのか。

「これより出立しても甲州道中に出る前に日が暮れよう。もう一晩世話になって明朝早く出ようではないか」

影二郎の胸のうちには釈然としないものが残っていた。それが伊丹主馬らの一行を追跡することを躊躇《ちゅうちょ》させた。

江戸の内藤新宿の店にいるという庸左衛門の内儀と娘には龍願寺の日傳和尚からの使いが出されたがすぐに間に合うものでもない。

この夜、龍願寺の本堂で仮通夜が行われた。傷みの激しい遺体はすでに埋葬されていた。

金峰集落の分家一族が顔を揃え、千曲川ぞいの村々からも通夜の客がきた。

影二郎は日傳和尚の読経には参列したが、宿房に戻って待った。なにが起こると確信があったわけではない。どこかが釈然としないのだ。

おこまは通夜の下働きの一人としてかいがいしく働いていた。宿房に泊めてもらった礼でもあったが、茶を運び、座布団を客たちに勧めながら、様子を窺《うかが》っていたのだ。

影二郎が一文字笠を裏に返し、矢立てから出した筆で礼五郎の名を消したとき、おこまが泣きはらした娘を伴い、影二郎の下に姿を見せた。

「川上村から参られました糸様にございます。亡くなられた茂太郎さんと許婚《いいなずけ》、いずれは所帯を持つ身でございました」

糸は十八歳という、しっかりした顔立ちの娘であった。

「本堂で泣き崩れておられるのをみて、つい声をかけてしまったのです」

涙を拭いた糸が顔を上げた。

「お二人はお役人様にございますか」

「そう考えてくれてもよい」

「ならば茂太郎さんの敵《かたき》を取ってくだされ」

「事と次第によっては力を貸そう」

「茂太郎さんは川上村の名主の次男坊にございます。先代の庸左衛門様と茂太郎のお父つぁんが親しくて、十一代目になかなかお子が生まれねえちゅうで養子縁組なさりました。そのあとにお久様が生まれただよ。それでいったんは養子の話はなしになっただが、五年も前に当代様がどうしても茂太郎さんをということで金峰家に入られただ。その茂太郎さんの様子が変わったのは一年も前からでございます」

「変わったとはどういうことか」

「半年ばかり江戸の店に修業にいかされましただ。その帰りに川上村に立ち寄ってな、伊丹は怖い、金峰には戻りたくねえとお父つぁんにも私にも訴えただよ。怖いとはなんだと聞いてもはかばかしい返答はねえ。そんでそんときは嫌々金峰に戻らされただよ」

「その後、そなたとは会っておったか」

「はい」

糸は顔を赤らめ、

「居倉のお宮さんで」

と答えた。居倉は川上本村と金峰の里の中間にある集落だ。

「最後に会ったのはいつのことか」

「十五、六日前のことでございます」

「その折り、なにかそなたに訴えたか」

顔を横に振った糸は懐からお守り袋を出した。

「これを私にくれましてなにかあったら中を見よと言い残されました」
「中を見たか」
糸は頷き、影二郎に渡した。お守りは高尾山薬王院のものだ。そして紙片が出てきた。広げると、
下諏訪宿伝馬問屋春見屋駿太郎
宇都宮宿伝馬問屋奥州屋武太夫
浜松宿伝馬問屋遠州屋五郎兵衛
内藤新宿薬種問屋金峰伊丹
と四つの問屋の文字が記されていた。
「糸、この紙片、もらってよいか」
糸が頷いた。
「茂太郎さんは最後に別れるときに金なんぞなくてもいい。川上村に戻りてえと私に訴えられましたのに……」
「茂太郎の敵、夏目影二郎が必ず討ってみせる。そのときはそなたに知らせよう、茂太郎の菩《ぼ》提《だい》に報告してくれよ」
「はい」
糸は何度も頭を下げると宿房を去っていった。

「行き先が決まりましたね」

おこまは言い、語を継いだ。

「下諏訪、宇都宮、浜松は五街道の基点宿にございます」

おこまがいうように下諏訪宿は中山道と甲州道中の交差する宿場、宇都宮は奥州道中と日光道中の分岐点、浜松は東海道の半ば近くの伝馬宿であった。

「おそらく伊丹主馬らは三宿に集められた没収品をなんらかの方法で内藤新宿の金峰伊丹に送り、換金していたのであろうな。これらの伝馬宿は伊丹主馬らの盗人宿《ぬすっと》を兼ねているやも知れぬ。茂太郎は江戸に出て、そのことを知り、怖くなった……」

「主馬らは大八車に蓄財の金を積んで甲州街道に下り、隠れ宿の一つ、下諏訪宿に向かったとも考えられます」

「下諏訪宿にはそなたの父上も探索に出向いておられる。なんとか合流したいものじゃな」

影二郎の言葉におこまが大きく頷いた。

第三話　風雲下諏訪宿《しもすわしゆく》

一

朝靄の河原にうごめく影を影二郎は認めた。

野辺山原から大門川の流れに沿って下っていた時のことだ。

影二郎は街道を外れて崖を滑り下りた。おこまもあかも続いてきた。

竹や蔦《つた》を伝い、河原に下りると二人の百姓が流れの中から車輪を引き上げていた。

「どうしたな」

影二郎の問いに男たちがぎょっとして振り向いた。

「なんの悪さもしているわけではねえだよ、水の中に落ちていた大八車を拾っていただけだ」

「咎《とが》め立てしようというのではない。大八車を見せてはくれぬか」

流れから引き上げられた車体から一つの車輪が外れていた。まだ新しい大八車だ。

「いつから流れにあったな」

「二、三日前にはなかったものだ、上流《かみ》から流れてきたかねえ」

影二郎には引き手のところに金峰家の字が薄れて読めた。

「これ一台だけか」

男たちが頷いた。

「手間を取らせたな」

影二郎らは街道に戻った。

「大八車が壊れたのでもう一台に積み換えたのでしょうか」

「車輪が外れたのは川に捨てられた時のようだ。主馬らはなんぞ別の輸送の手立てを用意していたか、あるいは仲間と待ち合わせしていたか」

金峰の里を三台の大八車で出立した一行の輸送の手段は二台になったことになる。どういうことか、それ以上は影二郎にも推量がつかない。

高根村から小淵沢を抜けて蔦木で甲州道中に出た。

昼過ぎ、街道に見つけた一膳めし屋に立ち寄った。

二人は寒ぶりに大根の炊き合わせと粕汁に麦飯を頼み、あかにはぶりの骨を与えた。

「下諏訪宿までは八里はあろう。今日中には無理じゃな」

甲州道中に出る山道に時間を要し過ぎていた。

「行けるところまで道程を稼ごうか」

先を急ぐ影二郎は釜無川河原に流れ宿《ぐ》を見つけた。

「おこま、手紙を託そうぞ」

影二郎は流れ宿に立ち寄ると河原で流木を集めていた宿の主に浅草弾左衛門から与えられた通行手形ともいうべき一文字笠の梵字を示し、

「弾左衛門屋敷まで急ぎ書状を届けたい。江戸へ使いを致す者の心当たりはないか」

と聞いてみた。

主は影二郎の風体を確かめるように見ていた。

「江戸よりの返書を受け取り、下諏訪宿まで往復できる者を雇えればなおさらよいがな。礼は前渡しいたす」

ようやく頷いた主は、

「一人心当たりがございます。ただ今、猪撃《ししう》ちに山に入っております、夕刻には戻って参りましょう。この者なら一日三十里(百二十キロ)、二日三日なら寝ずに走ります」

「頼もう」

影二郎は河原の石に腰を下ろすと十文字峠以来の出来事を克明に記し、内藤新宿の金峰伊丹という薬種問屋を早急に調べて頂きたいと願った。さらに影二郎とおこまは下諏訪宿に赴《おもむ》く旨を書き足すと、返書を下諏訪宿で受け取りたいことを記して筆を置いた。

その封書に五両の金を添えて流れ宿《ぐ》の主に渡した。

「承りました。猪撃《ししう》ちの武松《たけまつ》なら明後日の昼前にも浅草のお頭の屋敷に届けますでございます」

「江戸よりの返書は下諏訪近くの流れ宿《ぐ》にてうけとりたいものじゃあ」

「ならば下諏訪宿の湖岸に牛之助親父《おやじ》の宿がございます。釜無の勢次からといってくだされば、なんぞの役に立ちましょう」

「ありがたい」

先を急ぐ影二郎らは甲州道中の木舟集落外れの地蔵堂に仮眠し、翌日七つ（午前四時）前には下諏訪宿へと歩みを再開していた。

朝ぼらけ、諏訪湖がうっすらと朝の光に望める上川の岸辺に漁師舟がもやわれ、へたりこんだ女のかたわらで男が漁師となにごとか話をしていた。

上川は南の茅野宿から上諏訪湖畔に立つ高島城のかたわらを抜けて湖に注ぐ流れだ。

男は深目の笠に袷の尻をからげ、股引脚半《きゃはん》に手には大きな扇子を持って、それには藤八五文《とうはちごもん》薬売りと書いてあった。

癪《しゃく》、目眩《めまい》に効能があるというので有名な丸薬売りだ。

女は腹痛でも起こしたか腹を押さえて青い顔だ。

「どうかしなすったか」

おこまが聞くと薬売りは、

「おめえさん方、どちらに行きなさる」

と問い返された。

「下諏訪宿じゃが」

「ちょうどいいや、おれっちと相乗りしねえかえ。いやさ、連れが疝気《せんき》を起こして歩けねえんだ」

薬売りは江戸の者か、歯切れのいい言葉を話した。

「この漁師さんがよ、湖を横切って下諏訪宿まで行くっていうじゃねえか。おれっちも夜通し歩いてきたし、女房がこの通りだ。乗せてはくれめいかと頼んだところだが、船賃が法外だ」

大男の船頭が薬売りを睨んだ。髭面《ひげづら》に頰被りした船頭は綿入れの上に蓑をつけて、寒さに備えていた。

「渡し賃はいくらだな」

「六百文だとよ」

なかなかの値だ。

「相乗りなら一人二百」

と船頭が言い、薬売りが悪態をついた。

「八百かよ、足下を見るなんぞは雲助駕籠並だぜ」

「おめえさんが頼んだんだ、嫌なら乗せねえ」

船頭はもやい綱をほどこうとした。

薬売りが助けを求めるように影二郎を見た。

「疝気のおかみさんがかわいそうじゃな。犬はただでよいな」

「百文」

素早い返事が戻ってきた。

薬売りが半ば諦めたように岸辺にへたりこんだ。

「船渡し一里半四人と犬一匹、小粒で済むにその銭もねえか」

捨て台詞を残して竿を差そうとする船に影二郎が飛んだ。続いてあかが乗りこんだ。

「こいつはありがてえ」

藤八五文の薬売りとおこまが疝気の女を抱えて船の舳先《へさき》に乗り、船は上川の流れに出た。

「助かったぜ」

女の体を合羽で包むようにかけた薬売りが胴の間に腰を落ち着けた影二郎らに礼を言い、聞いた。

「姐《ねえ》さんは三味線抱えてなさるが、ちょんがれ節かえ」

ちょんがれ節は説教祭文から発したもので三味線に合わせ、

「ちょんがれ、ちょんがれ、お聞きなされやみなさんがたよ」

としわがれ声で時事風俗を歌いこんで投げ銭を稼ぐ芸だ。

「私ゃ、独り四竹のおこまさ」

おこまは懐から四つ割りにした竹片を出して見せた。

漁師船が出た川岸からわずかに離れた枯れ葦《あし》の原にまだ温もりの残った男の骸《むくろ》がぷかぷかと浮いていた。だが、影二郎らは知るよしもない。

薬売りの視線は影二郎に向けられた。

「浪人さんの芸はなんですね」

「おれは芸なしだ」

「姐さんに食べさせてもらうご身分かえ、いいね」

「そなたの名は」

「薬売りの次三《つぐぞう》でさあ」

薬売りは川風に身を竦めた。

「おまえの薬は女房の疝気には効かぬのか」

次三はにたりと笑い、

「薬は売りもんだ。女房に飲ませる薬はねえ」

と非情にも言い放った。

「それにしても女房連れで商いとは結構な身分だな」

「ちょいと曰《いわ》くがありましてね」

吹きっさらしの船上は寒かった。

影二郎は南蛮合羽を身にまとい、おこまは道行衣《みちゆきごろも》を羽織った。その二人の間にあかが蹲《うずくま》っている。

「江戸者のようだな」

「越中富山へ薬の仕入れだ。ついでにさ、旅しながら商いをと考えたが田舎はいけねえ、わずか銭五文を出しやがらねえ」

藤八五文は丸薬十八粒を五文で商う商売だ。

上川の両岸には立ち枯れの葦が生えていた。

「船頭さん、諏訪湖は冬場には凍ると聞きましたが、この季節、船の往来ができるのですかね」

おこまの問いに、

「今年は正月に御神渡《おみわた》りが見られてな、早くに氷が溶けただよ」

高島城のかたわらを漁師船は抜けると諏訪湖に入っていった。

寒風が一段と厳しさを増して吹きつけ、船上の影二郎らの身を凍らせた。

舳先に座る薬売りの次三は、疝気の女房の背をさすって小声でなにごとか力づけていた。

湖岸にはまだ氷が薄く張って残っていた。

「船頭」

影二郎が声をかけたのは湖の中程に差しかかったときだ。

「下諏訪宿の伝馬問屋春見屋を知っておるか」

「浪人さんは春見屋を訪ねていかれるか」

「まあ、そんなところだ」

「下諏訪宿は中山道と甲州道中が交わるところだ。伝馬問屋の春見屋じゃあ、百人の人足に百匹の駅馬を持たれてな、なかなかの繁盛だよ」

「主どのはどんなお方だ」

「駿太郎様かえ、年は若いがやり手じゃな」

「下諏訪宿を預かる伝馬問屋の主が若いとは先代が早く亡くなられたか」

「いや、春見屋の先代は無類の博奕好きでな、さいころ賭博にはまって家運を傾けなさっただよ。そんで道中方の役人が中に入られてよ、今の駿太郎様が看板屋敷ごと伝馬問屋の権利を買い取りなさったのよ」

「血のつながりはないのだな。いつごろのことか」

「さて十年以上も前のことかねえ」

となると春見屋駿太郎は、金峰一族の一人、内藤新宿の金峰伊丹から派遣された者という可能性が強まった。

舳先に寒さに身を縮こまらせた薬売りの次三は黙念と二人の話を聞いていた。

「伝馬問屋には問屋代、帳付、月行事、迎番といろいろな問屋年寄りがおってな、大名行列からおめえさん方のような旅人まで世話してるだ。駿太郎様は、最初こそ年寄りの言うことを聞いてなされたがよ、主に就かれて一年うちに先代以来の年寄りを辞めさせなされてよ、どこぞから子飼いの年寄りを連れてきなすった。そんで盤石《ばんじゃく》の春見屋に立て直しなさったという話じゃ。道中方のお役人の受けもいいし、今じゃあ、下諏訪宿は春見屋の天下だよ」

「そいつはなによりだね」

「そりゃ見方によるわえ」

「どういうことかしら」

おこまが聞いた。

「四竹節の姐さん、味方には心強い。がな、敵側に回った宿場の衆の家にはぺんぺん草も生えないほど春見屋のやり口は酷って話さ」

「船頭さんは春見屋さんの余禄に与《あずか》ってないの」

「漁師風情を歯牙にもかけるもんけえ」

鈍色の光が湖面に差しこんだ。

おこまは光を見上げ、まだ冬の名残りをとどめた山並みを見た。

影二郎は湖面を見ていた。

気泡《あわ》が湖底から無数に湧き上がって硫黄《いおう》の臭いが漂ってきた。

「浪人さん、このあたりは湖底は五間余りでよ、深くはねえが気泡《あわ》にゃあ、毒気が混じっているだよ。もののわずかな時間も潜ってみねえ、安楽にあの世行きだ」

船頭が伸びやかな動作で櫓《ろ》を漕《こ》ぎながら、足下の筵に片足を突っこんだ。

「よしておくれよ、こっちは江戸育ち、自慢じゃないが水練はからっきしだよ」

おこまの怯《おび》えた声に笑った船頭が、

「旦那はどうだねえ」

と黙したままの影二郎に聞いた。

「温泉なら下諏訪宿で浸かりたいものじゃな」

おこまは舳先の藤八五文薬売りの次三に目を向けた。

次三は奇怪にも看板道具の大扇子を広げて、ぱたぱた扇ぎ始めた。

「おこま!」

と影二郎が警告の声を発したのと、次三の前に蹲っていた女房の合羽が宙に飛んだのが同時だった。

おこまは膝に抱えた三味線を立てた。

疝気の女の両手から飛んだ出刃が光にきらめいておこまを襲った。

おこまが立てた三味線の竿で二本の出刃を次々に弾いた。

飛来した出刃は糸を両断すると向きを湖面に変えて飛び落ちる。

「おこま、身を伏せえ！」

おこまが胴の間に這いつくばり、影二郎の身にまとっていた南蛮外衣が虚空に舞うと三本目の出刃に絡んで落とした。

「夏目影二郎、地獄へいけえ！」

南蛮合羽に襲われた女が払いのけ、体勢を立て直す間に薬売りの次三の扇子がくるりと舞って影二郎の首筋に飛んできた。鋭い刃で造られた扇子の骨が鈍い光を受けてくるくると舞って襲う。

影二郎は片膝をついたまま法城寺佐常二尺五寸三分を擦《す》り上げた。

身を襲う直前、扇子を両断した先反佐常の切っ先が薬売りの次三の首筋に伸びていった。

「げえっ！」

胴体を離れた次三の驚きを残した頭部が虚空に飛んだ。

「伝馬町の女牢を抜けた出刃打ちのはつだな。伝馬町破牢は死罪が決まり、はつ、諏訪の湖底がそなたの墓所じゃ」

「くそっ！」

まなじりを決したはつが四本目の出刃を投げうとうと構えた腕を虚空で反転した大薙刀を鍛ち変えた先反佐常が斬り飛ばした。

「あいっ！」

さらにはつの肩口を袈裟に斬り下げると、はつはたまらず湖面に落下していった。

影二郎の背では三味線に仕込んだ刃を抜いたおこまと足下の筵の下に隠していた長脇差を振りかざす船頭が戦っていた。

その船頭の足首にはあかがかぶりついて奮戦している。

「この腐れ犬が！」

喚《わめ》く大力の船頭があかの噛みついた足を振り上げざまに長脇差をおこまの脳天に叩きつけようとした。

影二郎が身を翻《ひるがえ》すと船の胴の間を走り、

「おこま、どいておれ！」

と先反佐常の業物が弧を描いて船頭の胸から顎を斜めに擦り上げた。

「げえっ！」

船上に血を振り撒き、絶叫を発した船頭の長脇差が船縁《ふなべり》に食いこんだ。次の瞬間、切りこまれた長脇差を支点に宙で大きく一回転した船頭は湖に落ちていった。

船の周りの湖面は一瞬のうちに血の色に染まった。

影二郎は、櫓を摑むと漕ぎ出した。

「十八粒五文の丸薬売りが疝気の女房連れとはちとおかしいと思っていたがな。主馬一味の刺《し》客《かく》であったか」

「それに諏訪湖の漁師にしてはよく喋りましたよ。ともあれ、影二郎様はもはや下諏訪宿じゅうに知られていますねえ」

おこまが仕込み三味線に直刀を戻しながら、下諏訪宿を望遠した。

「日が高いうちに宿場に入るのは剣呑《けんのん》だな」

広い湖面に影二郎、おこま、そしてあかを乗せた船がゆっくりと岡谷宿へと方向を転じていった。


菱沼喜十郎は下諏訪宿から中山道を五宿ほど先に行った奈良井宿にいた。

奈良井千軒と呼ばれて木曾十一宿のなかでも屈指のにぎわいを見せた宿場だ。

西に向かう旅人は鳥居峠を前にして英気を養い、峠越えしてきた者は安堵の宿りを結んだ宿場町だ。

菱沼は常磐豊後守秀信の命で中山道と甲州道中が交わる下諏訪宿に派遣された。

道中方伊丹主馬らの不正があるとしたら、二つの街道が交わる下諏訪宿は見逃せない。そこで下諏訪宿に飛び、道中方の没収品を扱う伝馬問屋の台帳を調べて、江戸の道中奉行所に報告された数字と付け合わせをしようと考えたのだ。

春見屋の問屋年寄り帳付方の協力で、台帳を調査した。だが、江戸に送られた数字と寸分の狂いもない。それは十数年と遡《さかのぼ》っても全くの破綻がなかった。

菱沼喜十郎は下諏訪宿に威勢を張る春見屋駿太郎にも面談した。が、弁舌さわやかに伝馬問屋がいかにお上に協力してきたかを喋るばかりで一部の疑惑をも与えなかった。またどの年寄りたちに聞いても、問屋の円滑な仕事ぶりを自画自賛するばかりだ。それればかりか宿場じゅうが春見屋の功績を称《たた》えた。

どこにも隙がない、それがおかしいと言えば言えた。

数日後、菱沼喜十郎は、調べ終了を宣言し、

「春見屋の仕事ぶり万全……」

と江戸に報告するとの言葉を残して、下諏訪宿を引き揚げることにした。

その夜、宿泊した旅籠小諸屋の主の登右衛門に春見屋駿太郎のやり手ぶりを褒《ほ》めてみた。

囲炉裏端には登右衛門と喜十郎しかいなかった。

「大層なやり手にございますよ。先代が博奕に狂って身上をなくしたのをわずか十年で盛り返したのですからな」

「先代とは縁戚でもないそうじゃな」

「江戸から見えた方でね……」

下諏訪宿の外れにひっそりとある商人宿の主の言い方には奥歯にものが挟まっていた。

「なにかあるのか」

「あなた様はお役人ですか」

登右衛門が声を潜めた。上目遣いの視線がゆだんなく喜十郎を見た。

喜十郎は否定も肯定もしなかった。ただ登右衛門の顔を見つめていた。

主の口から重い吐息が洩れた。

「先代春見屋の問屋年寄りたちは駿太郎様に代わられてもそのまま奉公をされておられましたよ。ですがな、駿太郎様が伝馬問屋の仕事に慣れられた後、年寄り五人が次々に職を追われなすった」

喜十郎も知らないことであった。

「それればかりか年寄りであった五人のうち四人までが辞めて半年から一年ばかりのうちに不慮の死を遂げなすった……」

「不慮の死とはなんじゃな」

「帳簿方は馬に跳ねられ、月番は釣りにいって水死し、また代貸は首吊りを図り、馬方頭は諏訪大社春宮の前を流れる疎水《そすい》で凍死しなすった」

「初めて聞いた」

「そりゃそうですよ、春見屋さんの耳目がどこにもあるでな」

主は寂れた旅籠を恐ろしげに見回した。

「そなたは五人の問屋年寄りのうち四人は死んだと申したな。五人目は健在か」

「二人目の月番の葬式の後、下諏訪宿から姿を消しなさったよ」

「消えたとな」

喜十郎は旅籠の主の怒りとも悲しみとも知れない感情を漂わせた顔を見た。

「そなたの顔には五人目が生きておると書いてある」

「はい、生きておられます。密かに奈良井宿の外れで炭を焼いて暮らしておられますよ。今から三年前、私は京に上る用事がございました。その帰りに偶然に春見屋の迎番であった松太郎さんに会いましてな、立ち話をしました。松太郎さんは会ったことを下諏訪では喋らないでくれと何度も口止めされましたよ。ひょっとしたら、もはや奈良井宿にはおられないかもしれませぬがな」

翌朝、菱沼喜十郎は江戸へ戻ると見せかけて諏訪湖の南岸に迂回し、岡谷から塩尻宿に抜けて、奈良井宿に辿りついた。

元春見屋の年寄迎番の地位にあった松太郎は、今も奈良井宿の旅籠に山中で焼いた炭を卸しては暮らしを立てていた。だが、一月に一度山を下りてくるばかりで、だれもが松太郎の炭焼き小屋の在処を知らなかった。

菱沼はあちらこちらと山に入っては松太郎の行方を探し求めた。だが、松太郎は木曾の山中を転々としながら炭焼きを続けているらしく、なかなかその姿を求めることが出来なかった。

二

夏目影二郎が諏訪湖北岸にある牛之助親父の流れ宿につなぎをつけにいった日の夕刻、菅笠を被ったおこまは、四竹を両手で打ち鳴らしながら下諏訪宿を流して歩いていた。

「ぬしさんが死んだ朝《あした》に　あたしゃ、髪を洗ったのさ　流した涙で髪を洗ったのさ……」

いい喉で上総節を歌いながらおこまは時折り四竹の音に変え、肩から吊った三味線を爪弾いた。

甲州道中と中山道が交わる三差路には旅籠屋が軒を並べて、路上では客引きたちが旅人の袖を引いて声をからしていた。

そんな光景の中、おこまは諏訪大社下社春宮の方角へと上がっていった。

そろそろ暮れなずむ頃合だ。

ゆっくりと宿場を流して歩くが、どこからも父の菱沼喜十郎の姿は現れなかった。

(もはや江戸に戻ったのか)

湯の煙がおこまの旅情をくすぐった。

昔々、諏訪大社の祭神、八坂刀売神《やさかとめのかみ》が使ったお化粧の湯を浸した綿を置いたところ湯が噴き出したという綿の湯の煙だ。

（いや、父上はどこかにおられる）

伊丹主馬らの拠点の一つが下諏訪宿にあるとするならば、父は絶対に宿場に滞在しながら気長に探索を続けているはずだ。

おこまは勘定奉行所の監察方としての手解《てほど》きを父から習ったのだ。喜十郎の念のいったやり口は身にたたき込まれて知っていた。

本陣岩波家の門前には大提灯に明かりが入り、どこかの大名家の重役か、大身旗本が御用の道中の途中に泊まっている様子だ。

おこまが本陣を通り過ぎたとき、恰幅《かっぷく》のよい体に紋服を着た春見屋の主が邸内から出てきて、おこまの喉に注意を払った。そしてその後ろ姿を見ていたが、足を早めて問屋のある宿場の中心へと下っていった。

それが春見屋駿太郎と知るよしもないおこまは街道から裏通りに入っていった。

うねうねとした細い路地の両側に商人宿や木賃宿が軒を連ねていた。

湯の町に四竹が鳴り、三味線が流れ、おこまの声が嫋々《じょうじょう》と響いた。

だが、父の気配はなかった。

裏通りが途切れ、中山道を和田宿に向かう出口にきていた。

ふと風に揺れる塗笠が目に入った。それは寂れた旅籠小諸屋の軒先にぶら下げられていた。

（ついに父の痕跡《こんせき》をつかまえた……）

とおこまは閉じられた小諸屋の表戸を叩こうとして、ふいに踵《きびす》を返して別の道を宿場の方へと戻った。

前方に下社春宮の森が薄闇に浮かんだ。

おこまの足は森へと向かい、石橋の下を流れる疎水を渡り、境内に入っていった。

鬱蒼とした杉林が境内を暗くしていた。

社殿に頭を垂れたおこまは、

(父との無事再会を……)

を八坂刀売神《やさかとめのかみ》にお祈りした。

おこまがご神木の一位《いちい》の老樹まで戻ってきた時、危険な気配がその輪を縮めた。

大木の影から渡世人風の男たちが現れた。どれもが獰猛《どうもう》な面付きだが、そのあとからゆっくりと姿を見せた、派手などてら姿の男には敵《かな》わない。

常夜灯の明かりに喉から頬にかけて、引きつれた斬り傷があった。どうやらそれが看板らしい。

「おめえだな、だれに断って下諏訪宿で流してやがる」

肩を怒《いか》らせた小男が懐に片手を差しこんだ格好で聞いた。

「はいはい、たった今、八坂刀売神様に商売繁盛をお断りしてきたところですよ」

「ふざけやがって。この下諏訪宿は山神の六兵衛親分の縄張りだ。物売り、門付は親分の許しなしには商いできねえ相談だ」

「初めて聞きましたよ。で、山猫の親分はどちらにおられるんですねえ」

「山猫じゃねえ、山神だ」

と怒鳴った小男がどてらの男を手で差し、

「こちらが親分さんだ」

「まあ、これは親分直々におでましとは尻軽なこと」

「くそっ！　女《あま》と思っておとなしくしてりゃあ、付け上がりやがって」

どてらの六兵衛がずいっと前に進み出た。

「素っ裸にして諏訪湖に放りこんでもいいんだぜ」

「まあ、おっかない。そういやあ、出刃打ちのはつさんやら薬売りの次三って三下も怖い顔をしていたねえ」

おこまは独り言のように洩らしてみた。すると、

「はつと次三はおめえと会ったんだな」

あっさり食いついてきた。

「船頭の鉄五郎はどうした」

「船頭は鉄五郎さんというのかえ。三人にさ、漁師船に誘いこまれて、危うく毒気の噴き出す

湖面に沈められるとこだったよ」

「女《あま》、次三兄いたちはどこにおる」

小男が喚いた。

「今ごろ、湖の魚が始末しているかねえ」

「なにっ、兄いも鉄五郎も殺られたって」

小男が信じられないという顔をした。

「野郎ども、引っ括《くく》ってうちの蔵に連れていけ。三人を殺ったかどうか、存分に痛めつけて聞き出せ」

「へえっ、合点《がってん》だ」

小男らがおこまに躍りかかろうとした時、おこまの手から四竹が飛んだ。

風を切った四枚の割り竹が三下らの額や顎に当たり、出鼻を挫《くじ》く。

「糞っ！　女と見て手加減するんじゃねえ」

六兵衛の激怒の声に三下たちが痛みを堪えて、懐の匕首やら長脇差を抜いた。

「止めておけ！」

一文字笠に南蛮外衣を巻いた夏目影二郎の孤影が六兵衛の背後に浮かんだ。

「影二郎様」

おこまが三味線の柄に仕込んだ刃を抜きながら、思わず喜びの声を洩らした。

「連れもいたか。ちょうどいい、二人とも手足叩き折って連れていけ」

三下たちがおこまから影二郎に狙いを変えた。

その輪の中に自ら歩を進めた影二郎が、

「山神の六兵衛、おめえは春見屋のおこぼれもらって、宿場じゅうを駆け回っているようだな」

「なにをっ！　江戸者がごたくを抜かすんじゃねえ」

どてらの下に落としこんだ長脇差を引き抜いた六兵衛がいきなり影二郎の眉間《みけん》に叩きつけるように斬りつけてきた。

影二郎の長身に巻かれていた南蛮外衣がまるで怪鳥のように羽を大きく広げて舞い上がり、両の裾に縫い込まれた銀玉二十匁（七十五グラム）が六兵衛の頰桁《ほおげた》をたたくと昏倒させた。さらに三下の体のあちこちをうねり襲った長合羽が影二郎の肩に戻ったとき、山神一家の親分も三下どもと境内の砂利石に気を失ったり、呻き声を上げたりしていた。

「行くぜ、おこま」

「あいよ」

と二人が石橋を渡るとあかが尻尾を振って姿を見せた。

同じ刻限、菱沼喜十郎は奈良井宿から南に半里ばかり入った坊主岳の山麓で松太郎の炭焼き小屋を見つけていた。

喜十郎が「昔、下諏訪の伝馬問屋年寄りの松太郎どのじゃな」と問い掛けると、

「確かに春見屋に奉公しておりましたが今はただの炭焼き。お侍さん、昔のことは何一つ覚えておりませぬよ」

松太郎は春見屋時代のことをしゃべる気を見せなかった。

「そなたの気持ちも分からぬではない。だがな、下諏訪宿が春見屋の意のままに放っておかれてよいものか」

喜十郎は身分を明かして助けを求めた。

松太郎は黙ったまま、住まいに入っていった。

その夜、菱沼喜十郎は、炭焼き窯のかたわらで座禅を組み、夜を過ごした。

窯には火が入ってない。

早春とはいえ、木曾の山中だ。

夜は急激に冷えこんだ。

菱沼はその場を動こうとはせず、ただ待った。ひたすら松太郎の変心を待ち続けた。

朝が明けた。

松太郎はじろりと喜十郎を見ただけで仕事にかかった。

下社春宮から逃れたおこまは影二郎とあかを連れて、商人宿の小諸屋の前に戻った。軒先の塗笠を外したおこまは潜り戸を叩いた。しばらくすると戸が開けられ、しなびた顔の老人が顔を見せた。

「えらく遅いお着きじゃな」

おこまは塗笠を見せると、知り合いの者にございますと宿を頼んだ。

老人は黙って頷くとおこまらを招じ入れた。

「犬を連れております。どこぞ土間の隅に寝かしてくれませぬか」

「好きなところに寝るとええ」

あかは心得たもので片隅に積まれたぼろ筵を寝床に決めた。

「そなたは主どのか」

「主もなにもわしとばあさまの二人で細々とやっておりますだ」

登右衛門と名乗った主は寝静まった囲炉裏端で菜漬をかてに独り酒を飲んでいた様子だ。

影二郎は寒さをこびりつけていた南蛮合羽と笠を脱ぎ、火のそばに腰を下ろした。

おこまも居間の隅に三味線と荷を置くと、塗笠だけを手に囲炉裏端に座った。

「めしといわれても困るが酒ならある」

「もらおう」

登右衛門は茶碗に濁《にご》り酒をなみなみと注いで二人の前に置いた。

「頂戴する」

影二郎は渋みの利いた濁り酒をゆっくりと喉に落とした。

おこまは塗笠を膝に置くと、

「父親《てておや》の笠にございます」

と登右衛門に言った。

「おまえさんのお父つぁんでしたか」

登右衛門は菱沼喜十郎が奈良井宿を訪ねていった理由《わけ》を告げた。

「喜十郎も苦労しておるようじゃな。主、奈良井宿まで何里あるな」

「五宿先、まあ一日の行程ですよ」

「笠をこの家《や》においていったのは小諸屋さんに戻る気にございますよ」

おこまがうれしそうに笑みを浮かべた。

「なんぞよき知らせを持って戻ってくるとよいがな」

潜り戸が叩かれた。

「ばあさまが湯から戻ってきたのさ」

登右衛門が戸を開けると、肩をすぼめた老女が寒さと一緒に入ってきた。諏訪の名湯の綿の湯にいっていたという。

「あらまあ、客人ですか」

「菱沼様の娘ごじゃよ」

「あんれまあ」

と言った老女が、

「伝馬問屋が騒がしいよ。山神の六兵衛親分が怪我したとかしねえとかよ」

「賭場のいざこざかねえ」

と応じた主がふいに影二郎に、

「どうやら騒ぎにおめえさん方が絡んでおられるようじゃな」

と視線を向けた。

「どてらの親分かな」

「やっぱりな」

「ご当家に迷惑はかけぬようにいたします」

おこまが慌てて言った。

「なあにうちは春見屋や山神一家が歯牙にもかけねえ木賃宿だ。おまえさん方が下諏訪宿を掃除してくれるならありがたいがねえ」

「まあ、喜十郎の土産次第だな」

影二郎はそういうと濁り酒を飲み干した。

「ばあさまや、今晩はなんだかたっぷり酔いたい気分だよ」

登右衛門が応じて夜が更《ふ》けていった。

翌朝、影二郎は綿の湯に身を沈めていた。

旅人たちはとうの昔に宿場を出立して、下諏訪宿がのんびりと弛緩する刻限だ。

湯気の向こうに二人の男がいた。

「山神の親分が医者に担ぎこまれたってそうだな」

旅籠の番頭か、湯に浸かりながら連れに言った。

「なんでも頬骨が陥没したとかしねえとかでよ、自慢の傷が台無しだ」

「階段から足を踏み外したって話だが」

「子分衆も一緒に階段から落ちたのかねえ」

「出入りだねえ」

「春見屋の腰巾着《ぎんちゃく》みてえにくっついて歩くだけだからねえ。渡世人もねえもんだ」

「相手はだれだ」

「それだ」

新たな客が入ってきて、二人の会話は止まった。

湯から上がった影二郎は一文字笠に着流し、法城寺佐常を腰に落とし差しにした姿でゆっくりと伝馬問屋の春見屋に足を向けた。

春見屋は下諏訪宿の真ん中に間口十二間と堂々とした店構えだ。さすがに五街道のうち、中山道と甲州道中の交差する要衝《ようしょう》の地の伝馬問屋だ。その繁盛ぶりは表からでも察せられた。ひっきりなしに荷を積んだ馬が出て行き、空馬が戻ってきた。

影二郎は出入りする馬方衆も店の奉公人の顔色を窺う様子を見てとった。店の横手につながれた馬のかたわらで若い番頭が老いた馬方を怒鳴りつけている。それは春見屋の横暴をみせつけられているようで影二郎の気持ちを逆撫でした。

「ごめん、主どのに会いたい」

影二郎は店先で帳場に声をかけた。

低い格子の奥にいた中年の総番頭がじろりと影二郎の風体を見た。

「どのような用事にございますかな。うちでは大概のものはこの三右衛門が承っておりますでな」

浪人など相手にせぬといった横柄な態度だ。

「駿太郎どのに挨拶じゃ」

「ご挨拶、うちの主と面識があるといわれるか」

「ない」

「これはまた」

「面識はないが関わりはある。金峰の里にも内藤新宿の金峰伊丹にもな」

三右衛門の顔色がふいに険しいものに変った。

「そなた様はどなたにございますかな」

「五街道の掃除人とでも覚えておいてもらおうか、番頭さん」

三右衛門が鋭い眼光を残すと奥へと姿を消した。

影二郎が奥座敷に通されたのはしばらく後のことだ。

春見屋駿太郎は堂々とした恰幅の四十男だった。てらてらと光った顔も大ぶりで整っている。

「そなた様らしいな、山神の六兵衛親分の頰桁を砕かれたは」

一文字笠を脱ぐとかたわらに影二郎はおいた。

「そなたが挨拶代わりに差し向けられたでな、返礼したまでじゃ」

「これはまた正直な答えにございますな」

きっちりと閉じられた障子の向こうに人の気配がうごめいていた。

「で、本日も重ねてご挨拶ですかな」

「春見屋では道中奉行の御用も承っていると聞く。物産が流れ動く街道にはご禁制の品々も多い。各宿場の役人衆や代官所で摘発《てきはつ》した没収品の量が、この十数年激減しているという話じゃが、なんぞからくりがあるかと聞きに参った」

「どうやら草鞋銭をねだりにきた小鼠とは違うらしい」

駿太郎は長柄の煙管のがん首で煙草盆《たばこぼん》を引き寄せ、刻みを詰め、長火鉢の火に差し入れた。

紫煙を吐いた駿太郎は平然と言い放った。

「先日も勘定奉行所監察方と自称される侍が帳簿を洗いざらい調べていかれましたよ。なにも出るわけもなし、幕府のご威光が五街道じゅうに行きわたり、禁制品など運ばなくなったのでございますよ」

「馬鹿を申せ。天保の飢饉《ききん》がいつはてるともなく続くご時世じゃ。こんな折りこそ不正を働く輩が多いのは世の習い。それがそなたに代替りした途端、激減したにはなんぞ理由《わけ》があろう。教えてはくれぬか、春見屋」

「これはまた無体な……」

「今ひとつ聞きたい。数日前のことじゃ、金峰の里で当主の金峰庸左衛門どのら奉公人九人が殺された上に屋敷に火が放たれて焼け落ちた。下手人は江戸の御勘定所道中方を務めていた伊丹主馬と推測される」

「伊丹様はなんぞ不正をしでかして、伝馬町の牢屋敷に入られたと聞きましたがな」

「切放を画策して破牢をしたことを知らぬわけでもあるまい」

「これはしたり、伊丹様が破牢をな」

「仲間と奥秩父の山越えで故郷の金峰の里に入り、金峰本家が蓄財してきた十万両余を大八車で強奪して、この下諏訪宿を目指したのは知れておる。主馬らはどこに隠れ潜んでおるな」

「伊丹主馬様の行状など一向に知りませんな、十万両など笑止千万です」

駿太郎は面白そうに高笑いした。

出刃打ちのはつを諏訪に残して、伊丹主馬一行は下諏訪宿からさらに第三の隠れ家に向かったのか。そのことが春見屋駿太郎に余裕をもたらしているように見受けられた。

「破牢した一人、出刃打ちのはつが諏訪の入り口でおれを待ち受けて襲ったのは、すなわち首魁の主馬が諏訪にいるなによりの証拠……」

「うちにおられると申されるか。ならばどこでも家捜《やさが》しなされ」

駿太郎が咳払いをした。

隣室の殺気が膨らみ、襖《ふすま》越しに槍の穂先がきらめいて突き出された。

影二郎の手が一文字笠の珊瑚玉を摑みとり、穂先の突き出されたかたわらに唐かんざしが吸い込まれて、悲鳴が上がった。同時に影二郎の法城寺佐常二尺五寸三分が抜き打ちに槍のけら首を両断していた。

襖を突き破って槍の柄を手にした浪人者が影二郎と駿太郎の対面する座敷に転がりこんできた。その右目に唐かんざしが刺さっている。

「やりやがったな！」

春見屋の用心棒か、仲間の剣客たちが剣を抜き連れた。

影二郎は悲鳴を上げる槍の浪人の首筋に先反佐常の切っ先をあてると、

「春見屋、それがし、挨拶と申したぞ」

「そなた様がご挨拶と申されるで私も挨拶を返したまで」

駿太郎は動じた風もなく手ぶりで用心棒を追い払おうとした。

影二郎は槍の浪人ににじり寄ると唐かんざしを抜き取り、血ぶりをくれると一文字笠の骨の間に戻した。

「こやつを連れていけ」

影二郎が命じると両手を顔にあてて呻き苦しむ剣客が座敷から引き出された。

「夏目影二郎様でしたな、しっかりと覚えておきますよ」

駿太郎の声を座敷の敷居際で聞いた影二郎は、佐常を鞘に戻した。

「また会うことになろうな」

影二郎は廊下をゆったりと店に向かった。


坊主岳の山麓の炭焼き小屋で座禅を組んで二晩を過ごした菱沼喜十郎の頬が殺げ落ち、無精髭が顔を覆った。水も食べ物も口にせず、寒さに耐える喜十郎はただ睡魔に襲われていた。

意識が遠のき、また戻る。

「そなた様には負けました」

声がしてふいに一椀の重湯《おもゆ》が差し出された。

喜十郎がぎょろりとした両眼を向けると松太郎の顔が見えた。

「当代の春見屋がどのような不正をしておりますか、お話しいたします。まずは腹におさめてくだされ」

喜十郎は松太郎の差し出した椀を両手で摑んだ。

重湯の温もりが椀を通して感じられ、それが全身に伝わっていった。

三

影二郎は小諸屋の裏庭に建つ納屋の二階の窓から中山道を見下ろしていた。

山神の六兵衛の手下たちが鉢巻きにたすき掛け、竹槍を持って旅籠じゅうを調べて回っていた。

主の登右衛門にどこぞ隠れ潜む家はないかと相談したところ、

「よそにいくこともない。うちの納屋でよければ使いなされ。火はつかえねえが夜具はたっぷりあるで二人が隠れるくらいなんでもなかろう」

と言ってくれた。

影二郎とおこまはいったん小諸屋から中山道の和田宿へと退去する姿を宿場の人に見せるとその夜のうちに密かに戻ってきて、小諸屋の納屋の二階に籠《こも》ったのだ。

奈良井宿に元春見屋の問屋年寄りを務めていた松太郎を探しにいった菱沼喜十郎が戻る日ま

でなんとしても隠れ潜んで合流したかった。

影二郎の背で、カチリと音がした。

おこまが阿米利加で造られた連発短筒《たんづつ》の引き金を引き落とす音だ。両手に構えた古留止の引き金を落としては、反動の衝撃の感触を掌《てのひら》になじませていた。

窓の外に夕闇が迫った。

おこまが短筒の輪胴に実弾六発を装填《そうてん》して布に包み、懐に差しこんだ。

「影二郎様、宿場をぶらついてきます」

「気をつけていけ」

菅笠を被り、道行衣を羽織ったおこまの姿を見たあかが立ち上がって伸びをした。

「あか、おこまから離れてな、護るんだぜ」

影二郎の言葉が分かったようにあかが尻尾を振った。

おこまとあかは小諸屋を裏口から抜けると、岡谷宿に向かう裏道を辿った。

あかは宿を出ると路傍に小便をして、つかずはなれずおこまの後を追う。

おこまは諏訪湖から吹き付ける風を頼りに湖岸に出た。そして氷が張りついた湖岸伝いに下諏訪宿を目指した。懐の短筒がずしりと重い。

湖岸を歩くこと半刻（およそ一時間）、下諏訪宿を迂回して甲州道中に出た。

おこまはさらに上諏訪宿を目指した。

あかの姿はないが、どこぞからおこまを見つめて歩いているのは確かだった。

上諏訪宿の外れにおこまが探していた店が見つかった。

掘っ立て小屋同様の一膳めし屋であり、飲み屋だ。

客は街道を往来する馬方や胡麻《ごま》の蠅《はえ》ばかり、まともな旅人は避けて通った。

縄のれんを分けて店に入ると、むさい男たちの汗と酒と馬の臭いが混じり合った温気《うんき》が押し寄せてきた。

「酒をおくれでないかえ」

煮しめたような前掛けの主に声をかけた。

無精髭を生やした主は黙って台所に引っこんだ。

男たちの視線が一斉におこまに集中した。

「姐さん、旅の人だか」

隣りにいた馬方が早速ちょっかいを出す。

大男はまだ冬の名残りがそこここにみられるというのに薄汚れた袖なしに下は褌《ふんどし》一丁の汚い格好だ。

「おまえさん方と同じように街道が稼ぎ場の女さ」

主が徳利と縁の欠けたそば猪口《ちょこ》を持ってくると、卓の上に音を立てておいた。

おこまは二朱を卓に放り投げ、徳利からそば猪口になみなみと注いだ。そうしておいて喉を鳴らして一気に飲み干した。

「姐さん、やるね」

ほんのりと朱に染まったおこまを眩《まぶ》しそうに見た馬方が、

「馳走《ごち》になりたいもんだな」

とおこまの卓にすり寄ってきた。

「無料《ただ》酒飲もうって算段かえ、お断りだね」

おこまのそば猪口に手を出そうとした馬方の手をぴしゃりと叩いた。すると仲間たちが笑った。

「なんをしゃがる、熊五郎さまを嘗める気か」

女に虚仮《こけ》にされた馬方が腕まくりをすると拳を振り上げた。

「およしよ。それよりさ、話を聞かせてくれたら、礼はするよ」

平然としたおこまに熊五郎は振り上げた拳を下ろした。

「話ってなんだえ」

「三、四日前のことさ。この街道を大八車に重い荷を積んだ虚無僧一人、侍二人、女連れに小男の渡世人の、怪しげな一団が伝馬問屋の春見屋を目指していかなかったかえ」

店の中がしいんとした。険しい視線がおこまに突き刺さった。

「おまえはだれでえ」

ちょっかいを出した熊五郎が厳しい顔つきで聞いた。

「春見屋に恨みを抱く者さ」

「姐さん、このあたりじゃあ、春見屋に睨まれちゃあ稼ぎができねえんだよ。それともおめえはおれっちをはめようというか」

「春見屋の回し者というのかえ。おまえさんらを売ったところで春見屋はびた一文も出しはしないよ」

おこまは卓に一枚の小判を置いた。

「いつも懐は空っ穴《けつ》なんだろ。だれか見た者はいないかえ」

男たちの血走った目を見回した。だが、名乗りを上げる者はなかった。

「仕方ないね、稼ぎ損なって」

熊五郎の手が一両を摑もうとするのを横からさらったおこまは、

「邪魔したねえ」

と言い残すと店を出た。

おこまは再び諏訪湖の湖岸を伝って下諏訪宿へと戻っていった。

湖岸を吹く風はさらに寒さを増していた。

月明かりが岸辺の氷を青白く浮かび上がらせていた。

「姐さん、待ちねえ」

枯れた葦原を分けて二人の男が顔を出した。

一人はおこまに虚仮にされた馬方の熊五郎、もう一人は若い男だった。

「駕籠かきの浅吉《せんきち》がおめえが探している一団を見たってんだがね」

若い男が浅吉というのか。

「浅吉さん、確かかえ」

浅吉が暗いまなざしで頷いた。

「姐さん、わしらに二両くんな」

連れの熊五郎が強請《ゆす》りがましく手を出した。

「一行を見た人に一両といったんだよ。だれが強請りたかりに払うといったんだえ」

「わざわざ熊五郎さまが出向いてきたんだ。四の五の言うんなら、腕ずくでおめえの懐ごとさらっていく。財布を出しねえ」

「熊五郎兄い」

浅吉が諫《いさ》めるようにいった。

「おめえは黙ってろ。この女《あま》、どこぞの破れ家に連れこむぜ」

熊五郎がのしのしとおこまに迫ってきた。

「よしとくれ」

おこまの道行衣の胸が割れ、連発短筒の銃口が熊五郎の胸板に向けられた。

熊五郎の足が止まって、体が操《あやつ》り人形のように固まった。

「異国製の鉄砲玉、食らってみるかえ」

気を取り直した熊五郎が、

「おもちゃなんぞ振り回しやがって」

と叫ぶとおこまに躍りかかった。

おこまの銃口が熊五郎の頭上一尺のところに向けられると引き金が引かれた。

ダーン！

乾いた銃声が湖面に響いた。

両手で保持した短筒の銃口が反動でわずかに下がり、銃弾が熊五郎のむさい頭をかすめるように飛びさった。

「わあっ！」

熊五郎はその場にへたり込んだ。

おこまは実弾の反動に驚きながらも、銃口から硝煙《しょうえん》が漂う短筒を下ろすと浅吉を見た。

「おれはなにも……」

「浅吉さん、話がほんとなら聞かせてくださいよ」

おこまが湖岸から下諏訪宿に向かって歩き出すと、浅吉が従って来た。

「なにも一両ほしくて熊五郎兄いに喋ったわけじゃないよ」

「おまえさんは親の代からの駕籠かきかえ」

「いや、お父つぁんは先代の春見屋で働いていた伝馬の馬方だ。今の代になって仕事ぶりが悪いと辞めさせられただよ」

「仕事ぶりが悪いとはどういうことかしら」

「春見屋さんは無理難題を命じられるってね、親父は愚痴をこぼして死んでいっただ」

「無理難題？」

「なんでもお上に逆らう仕事らしいや。それ以上は喋らねえから分からないがね」

浅吉の話は曖昧であった。

「おまえさんが虚無僧の混じった一団を見たというのは確かかえ」

「かれこれ六、七日前の晩だ。おれと相棒の高三が塩尻宿に客を送り、四つ半（夜十一時）過ぎに下諏訪宿を通りかかったときのことだ。高三が腹を下していてさ、おれを待たせて街道裏の空き地に走ったのさ。それでおれは表戸を閉めた旅籠の軒下に駕籠を止めて、暗がりに座っていた。すると上諏訪宿の方から、侍が二人に足の悪い虚無僧が一人、若い女と小男と五人が急ぎ足で歩いてきて、春見屋の潜り戸を叩いたんだ。すると総番頭さんが顔を出されてよ、よう、お戻りになられましたと丁重に迎え入れたんだ。おれが見たのはそれだけのこと、姐さんが言われるように大八車は引いてなかったがねえ」

おこまは若者の顔を見つめた。

浅吉は足を止めておこまを見返した。

嘘をついている顔ではない。それにおこまは虚無僧姿の無左衛門が足が悪いなどとは喋ってない。そのことを浅吉は見逃さなかったとすれば、確かな情報だった。

「助かったよ、浅吉さん」

おこまは一両を差し出した。

「おれはなにも銭がほしくて話したわけじゃねえ。親父のことがあったで春見屋に一泡吹かせたかっただけだ」

「分かっていますよ」

おこまは浅吉の手に握らすと、

「熊五郎さんの酔いも覚めたことだろう。飲み直しの金だよ」

浅吉はぺこりと頭を下げると湖岸の方へ走り去った。すると暗がりからあかが尻尾を振りながら姿を見せた。

「あか、おまえの出番はなかったねえ」

おこまが犬の頭を撫でた。

影二郎は一文字笠の裏を返すと、切放の後に江戸を逃げた六人のうち、出刃打ちのはつの名を墨で消した。残るはあとの四名だ。

矢立てに筆を戻した影二郎は小諸屋のばあ様が運んでくれた夕げの膳を見た。すると納屋の扉が開いて、階段を上がってくる物音がした。

「夏目影二郎様」

それは旅仕度の菱沼喜十郎だった。

「よう戻ったな」

「まさか影二郎様ばかりか、おこままでが下諏訪宿に出張っていようとは夢にも思いませんでしたぞ」

初老の勘定奉行所監察方の髭面が破顔《はがん》した。

再び階段の軋《きし》む音がして、登右衛門が顔を覗かせ、

「菱沼様、まずは旅の垢を湯で落としなされ。そのうち娘ごも戻ってこられように」

と湯を勧め、納屋に運ばれた膳を手にすると、

「もう、山神一家も面は出すまい。囲炉裏端に席を設けますでな」

と姿を消した。

「積もる話もある。主どのの言われるとおりに湯に入ってこい」

喜十郎を伴い、影二郎は母屋に向かった。

四半刻後、裏口からおこまとあかが寒さを全身にまとわりつかせて入ってきた。囲炉裏端に座った影二郎を見たおこまが怪訝な顔をした。

「こちらにおられましたか」

「おこま、喜べ。喜十郎が戻ってきたぞ」

「まことにございますか」

おこまの顔がぱっと明るく変わったとき、

「おこま、元気そうでなによりじゃあ」

と喜十郎が風呂から上がってきた。

「父上、お元気でしたか」

囲炉裏端は急に賑やかになった。

登右衛門が酒を運んできた。

「まずはお一つ」

とおこまが影二郎と喜十郎の杯を満たす。

影二郎は喉を潤すと、

「おこまの顔を見るとなんぞ探りあててきた様子じゃな。が、喜十郎、まずそなたにわれらがなぜ下諏訪まで足を延ばしたか話そうか」

影二郎は伊丹主馬が板橋宿から勘定奉行の常磐豊後守秀信に宛てて愚弄するような辞職を知らせる書簡を出したことに始まる行動を話した。その会話にはおこまも加わり、ゆるゆるとした三人だけの時刻が囲炉裏端に流れた。

「なんと春見屋の正体と行状、すでに露見しておりましたか」

と喜十郎が嘆息ともなんともつかぬ吐息を洩らした。

「そなたは先代の問屋年寄りの一人を奈良井宿に探しにいったそうじゃが会えたか」

「はい、探しあてましてございます」

喜十郎は、小諸屋の主の言葉を頼りに奈良井宿に走り、松太郎を求めて宿場から山を探し回り、ようやく一軒の炭焼き小屋に尋ね人を見つけるにいたった経緯《いきさつ》を告げた。

「……先代春見屋の役付き五人のうち二人が奇怪な死を遂げたとき、松太郎はすぐに当代の春見屋の差し金と思ったそうです。そこで昔の同僚の二人に相談したそうですが、彼らはそんな馬鹿な、と相手にもしなかった。二人には家族があって、下諏訪宿を簡単に引っ越せないわけもあった。その点、松太郎は独り者、思い切った行動がとれたのです」

「父上、松太郎は春見屋が没収した品々を横領する手口を話してくれたのですね」

「おこま、そうせかせるではない。なにしろ木曾山中の火の気もない炭焼き小屋で二晩も座禅を組んで、松太郎が口を開くのを気長に待った成果なのじゃからな」

「まあ、飲まず食わずで座禅を組まれたのですか」

「おお、そうじゃあ」

喜十郎が胸を張り、おこまがはれやかな笑みで答えた。

影二郎は親子のほほえましき光景をただ眺めていた。

「おおっ、つい役目を忘れてしまいました」

と影二郎を振り見た喜十郎は、

「道中奉行の公務を授かる伝馬問屋春見屋には、中山道と甲州道中から摘発された禁制品の数々が各地の宿場役人から送られて参ります。それを春見屋では朝鮮人参などの薬種や博奕の寺銭《てらせん》や不法に採取された金、銀の鉱山資源や長崎代官所を経由せずに密輸された異国の物産などを区分けして、江戸の道中奉行所に差し出す金品と内藤新宿の金峰伊丹に送る横領物品に分けて、三月ごとに発送するのです。もちろん下諏訪の春見屋の帳簿には江戸の道中奉行所に送られた帳簿と薬種問屋金峰伊丹に送られた品々の二つの帳簿が残される……」

「本来は二つの帳簿の金品すべてが、幕府の公金として道中奉行所道中方に送られなければならないのだな」

「さようにございます。私がいくら春見屋の保管した帳簿をひっくり返そうと、江戸の道中方の数字と一致するのは当たり前のこと。なにしろ道中方の帳簿を代々まかされてきたのは伊丹主馬なのですから、江戸から異論が出ることもない」

小首をかしげたおこまが、

「父上、禁制品を見つけた宿場の台帳はどうなのですか」

「そこじゃ、おこま」

と応じた父は、影二郎に顔を向けた。

「十数年前、道中方の伊丹主馬は現地査察と称して五街道の主だった宿場を回り、帳簿調べを定期的におこなうと通告したそうじゃ。その後、各宿場では一年ごとに摘発した品を記録した台帳を指定された伝馬問屋に送り、査察を受けることになった。中山道、甲州道中の担当問屋は春見屋です。春見屋の帳簿方は、この原簿を改竄《かいざん》して江戸に送らせる帳簿上の数字と一致した第二の帳簿を作成、原簿は破棄する。そして第二の原簿を各宿場に送り返した」

「送った原簿と違うという声は上がらなかったのですか」

「おこま、査察は無事に済んだのじゃあ。蔵に保管するだけの原簿を改める者など少ない。もし改める者がいて、下諏訪宿に抗議したとする……」

喜十郎が答え、影二郎が語を継いだ。

「……春見屋の飼っておる剣客か、山神の六兵衛が脅しをかけにいく寸法か」

「はい、そのとおりにございます。先代から伝馬問屋の権利を買い受けた駿太郎は、松太郎ら問屋年寄りから伝馬問屋の仕事を引き継ぐと、すぐにこの二重帳簿で没収品を少しずつ横領するようになったそうです。松太郎たちはそのことを承知していたからこそ、店を辞めさせられ、次々に始末されていった。五人の役付がいなくなった後、子飼いの問屋年寄りを登用した春見屋駿太郎は内藤新宿へ送る横領品の量を増やしていったと想像されます。松太郎の話では、年々禁制品の街道密輸は増えていた。下諏訪宿だけに集められる没収品は年額五、六千両は下るまいと話しておりました」

影二郎はふうっと息をついた。

「とすると本年度の各宿場にある台帳だけが真実の数字を語っているのですね」

「そのとおりじゃ、おこま」

喜十郎が大きく頷いた。

「おこま、そなたの収穫はなんじゃな」

影二郎がおこまに問いかけた。

「はい、やはり伊丹主馬ら一行四名は、春見屋を訪ねておりましたよ」

と駕籠かきの浅吉が目撃した光景を告げた。

「それはなによりの情報じゃ」

「ですが伊丹一行は大八車はもちろん荷らしき荷は持ってなかったそうです。金峰から運び出した十万両もの小判は、どこへ消えたのでございますかねえ」

「まだまだこのからくりには仕掛けがあろう。おそらく伊丹一統は街道の要所要所に隠れ宿をもっているものと思える」

影二郎の言葉に喜十郎が頷いた。

「どうしたもので」

おこまが明日からの行動を聞いた。

「おそらく伊丹主馬はどこぞへ退散したであろう。じゃが、下諏訪宿には主馬の手下たちが威勢を張っておるわ。八坂刀売神様が鎮座なさる諏訪大社の宿場に頭の黒い鼠がのさばっておるのでは、道中奉行を兼務する勘定奉行の怠慢、さっぱりと大掃除をしていこうではないか」

「われら三人で掃除をするのでございますか」

「ちと掃《は》き掃除がしんどいかもしれぬがなんとかなろう」

「そうですねえ」

影二郎の言葉に笑みで答えたおこまが、

「新しい酒をもらってきましょうか」

と囲炉裏端を立っていった。

四

次の日、小諸屋の主の登右衛門は影二郎らに言付かった用事を済ますために宿場じゅうを走り回っていた。

昼過ぎ小諸屋の三和土に精悍《せいかん》な風貌の男が入ってきて、夏目様に会いたいと告げた。

影二郎が出てみるとそれは釜無川の流れ宿《ぐ》で江戸への手紙を頼んだ使いの者であった。

「おお、そなたが猪撃《しし》ちの武松か」

「へえっ、下諏訪の牛之助親父にこちらのことを聞いてめえりやした」

「ご苦労であったな。まあ、火のそばに上がれ」

遠慮してなかなか草鞋を脱ごうとしない武松をおこまが強引に囲炉裏端に招き上げた。

「弾左衛門どのはご壮健であったか」

「へえっ」

といいながら背の道中囊《どうちゅうぶくろ》を下ろした武松は、

「思いがけなくも、おら、浅草の頭にお目にかかっただ。うれしくてなあ」

油紙に丁重に包まれた書状は二通あった。

一通目は浅草弾左衛門から、もう一通は父の秀信からの書状だ。

「たしかにお渡ししやした」

「武松、急いで釜無川に戻らねばならんのか」

書状を手にした影二郎が聞く。

「いいえ、そうではねえだ。それに浅草の頭から夏目様の役に立つことは精々努めよと命じられているだ」

「よし、しばらく待っておれ」

おこまが武松のために膳を運んできた。恐縮して尻込みした武松の膳をおこまが台所の板の間に運び、ようやく武松は箸をとって食べ始めた。

影二郎はまず弾左衛門の手紙を開いた。

〈影二郎殿、追捕旅御苦労に存じ候。もし舞々の無左衛門の探索に必要とあらば当地の流れ宿主らに手助けを命じなさる事遠慮無用。我らの情報網も御座候わばこの手紙を指し示して御用申し付け下されゃ。さすれば幾分の助勢も叶おうかと考え候。浅草弾左衛門〉

「弾左衛門どのから有り難い手紙じゃあ」

囲炉裏端に控える菱沼喜十郎、おこま親子に手紙を回した。

秀信の書状を開いた。

〈瑛二郎殿、取り急ぎ要件のみ記し候。そなたよりの指示により内藤新宿の薬種問屋金峰伊丹に勘定奉行与力一行を急ぎ派遣し処、江戸にて雇われし手代ら奉公人が呆然として居り候とか。報告によれば伊丹主馬が切放になった直後より金峰伊丹の大番頭ら主だった五名は密かに蔵の品を送り出し、帳簿を焼却せしとか。また御用旅と称して一人二人と何処かに旅立ち致し事判明。川上村金峰一族の本拠地が消滅した今、おそらく各地の金峰一族は我らの知らぬ第三の隠れ家に再集結するものと考え候。そなたが知らせ候、甲州道中、中山道の下諏訪宿、東海道浜松宿、奥州道中、日光道中の宇都宮宿の三伝馬問屋の始末、そなたに任せ候わば適宜始末の事改めて命じ候。さらに伊丹主馬一統の隠れ家を探り当て幕府公金の奪還を強く命じ候。幕府の機構に緩み生じる天保の御代、そなたの腕が唯一の頼りに候わば、心して極秘の任務遂行願い候……〉

秀信は改めて夏目影二郎らに大仕事の始末を命じてきた。

〈……伊丹主馬を捕縛した道中奉行兼務大目付秋水左衛門丞どの支配の行動につき、鋭意探索中にてしばらくの猶予願い候。なお過日南町の定廻同心牧野兵庫なる者が余に書状をくれて、切放の後、破牢せし者の一人、上州浪人常方相左衛門、馬庭念流《まにわねんりゅう》の達人にて奇怪な居合術を使うことが判明したと知らせ候上、このことをそなたに伝えてくれと申すゆえ付記致し候　秀信〉

影二郎は喜十郎に手紙を渡すと、おこまに筆と紙を帳場から借りてくるように命じた。

「武松、牛之助親父は読み書きできような」

「へえっ、流《ぐ》れ宿の主は読み書きできませぬと務まりませぬ」

関八州を中心に日本じゅうからのあらゆる情報が流れ宿を拠点に集められ、長吏頭として二十九職の長を務める浅草弾左衛門の下に送られるのだ。

幕府の五街道を中心にした伝馬制度よりも密度の濃い連絡網であった。

「手紙を書く。牛之助親父に届けてくれ」

「へえ、そのあと、どうしましょうか」

「牛之助親父の命に従え。事が終わった暁には再び江戸へ行ってもらわねばならぬ」

「分かりました」

喜十郎が手紙から視線を影二郎に向け、うれしそうに言った。

「われらの大掃除をお奉行も認めておられますぞ」

「本来、幕府のお役目じゃぁあ」

「お言葉のとおりにございますが、今の幕府では不正に対し即座に対応出来ないのも実情にございます。これは影二郎様にすがるしかありませぬよ」

「それがしは徳川からの禄を食《は》んでいるわけではない。命を張るそなたとて下禄の身、老中ら高禄の方々は何をしておられるのか」

影二郎は筆を取り上げた。

「ただ今戻りました」

登右衛門が本陣から借り出してきた弓と矢などを小脇に抱えて戻ってきた。

「おお、これはなによりな道具が手に入ったな」

道雪派の弓の達人が立ち上がって登右衛門の腕から弓をとった。

「宿場じゅうがぴりぴりと緊張しておりますよ。春見屋の裏長屋には用心棒の剣客やら山神一家の三下たちが喧嘩仕度で顔を揃えているそうにございます」

登右衛門が言う。

「それに今晩あたりは時雨《しぐれ》そうだ」

「掃除には埃《ほこり》が立たなくてよい。いい湿りかもしれぬ」

影二郎が手紙を書き終えると、武松に差し出した。

「夏目様、残りの金でございますよ」

四両余りの金を自分の前に置いた。

「なにっ、江戸を往復して一両も使わぬのか」

「道中のめし代だけですよ。弾左衛門屋敷じゃあ、上膳据膳だ。使い道もございませぬ」

「持っておれ。明日にも江戸に立ってもらうことになるやもしれぬでな」

「へえっ」

と答える武松に、

「手紙は二通ある。分厚いほうは春見屋の店先に投げこんで参れ。残りの一通が牛之助親父の分じゃ、これは祭りの仕度金と申して渡せ」

十両と二通の手紙を押し頂いた武松が小諸屋を飛び出していった。

その夜、寒さが一気に下がった。すると時雨に白いものがちらちらと混じって落ちてきた。

春見屋の馬小屋で騒ぎが起こった。ふいに小屋の中につながれていた馬たちが小屋の外に逃げ出し、宿場の通りを暴走していった。

「なんだなんだ、なにが起こったんだ！」

「ほれ、手代どん、早く馬を集めてこい」

総番頭の怒鳴り声が響いた。

店から手代や小僧たちが寝ぼけ眼《まなこ》で裏木戸から駆け出していく。

裏庭では火が焚かれ、山神の六兵衛一家の三下たちが、

「だれぞが悪さしたか」

と首を竦めて夜空から降る雪を見上げた。

離れ座敷では用心棒の浪人者たちや顔半分に包帯を巻いた山神の六兵衛に取り囲まれて春見屋駿太郎が苦虫をかみつぶしたような顔で床の間を背にして座っていた。

その日の昼下がり、夏目影二郎からの手紙が店先に投げ込まれた。

今宵子《ね》の刻（午前零時）に下諏訪宿大掃除のために来訪するというのだ。

こちらから仕掛けようとしていた相手が乗りこんでくるという。飛んで火に入る夏の虫、それにしても犬を連れた男女二人連れがなんという不敵な挑戦か。

春見屋駿太郎は刻限が近付けば近付くほどに腹の虫が収まらなかった。

勘定奉行所監察方が動くのは、御勘定所道中方伊丹主馬様の捕縛で想像されたことだ。だからこそ伝馬町の牢屋敷に仲間たちが入り、主馬の身を奪還したのだ。

主馬一行は奥秩父を抜けて信州に入り、無事金峰屋敷に立ち戻った。だが、短筒の礼五郎が十文字峠で夏目影二郎に倒され、さらには諏訪湖に網を張った出刃打ちのはつが殺された。そして今また春見屋に手が伸びようとした。

過日、金峰屋敷を立ち退いた主馬一行が下諏訪宿に立ち寄り、

「万が一に備えて立ち退く仕度をしておけ」

との命を残して下諏訪宿を去っていた。

わずか二人ばかりの追跡者に十数年もかかって築き上げた伝馬問屋を明け渡してよいものか。この春見屋駿太郎が二人を始末して、立て直してみせる。その意気込みで用心棒の剣客たちや山神の六兵衛一家を集めてみた。

「何刻《なんどき》だ」

「そろそろ子の刻であろう」

剣客の首魁、橘《たちばな》大五郎富房が悠然と応じた。橘は江戸の道場を総嘗めにした陰流《かげりゅう》の免許の持ち主だ。痩身からは血の臭いが漂ってきた。

「主どの、そなたは追っ手がくるとしたら道中奉行を兼務する大目付秋水様支配の者といわれたな。じゃが下諏訪宿に現れたのは素浪人というではないか」

「その素浪人が厄介です」

駿太郎は思わず苛立《いらだ》つ己に怒りを感じた。

「まあよい、痩浪人風情、叩き斬ればことが済む」

表通りに重いものを引きずるような音が響いた。

「何事じゃな」

橘の声に山神一家の三下たちが飛び出していった。

ざわめく庭を見下ろすように離れ座敷の用心棒たちが縁側に立っていった。

「親分！」

山神の三下が血相変えて戻ってきた。

「ふてえ野郎どもがいやがる」

「なにが起こった」

頬桁を砕かれた六兵衛が声を絞り出す。

「下社春宮のおんばしらを持ち出して引きずってくる連中がいるぜ」

「なんですと！」

駿太郎が立ち上がって縁側に出た。

「下諏訪宿の大掃除、大掃除！　と叫びながら黒衣装を着た一団が店の方にやってくるんで」

諏訪大社の大祭は天下の奇祭として知られる七年ごとの御柱祭《おんばしらさい》、あるいはおんばしらと呼ばれる。奥山から切り出した長さ五十五尺（十六・五メートル）、周囲一丈余（三メートル）の大木十六本を諏訪湖岸に散る諏訪四社の社前へ引き出して、御社殿を造り替え、また御社殿の四隅に立てるために運びこむ、勇壮極まりない行事だ。

寅年《とらどし》と申年《さるどし》の七年ごとの祭りに引くおんばしらを黒子の集団が引き回しているという。

手代の一人が飛んできた。

「大変にございます。店におんばしらが突っこんでくる構えにございます」

それは流れ宿の牛之助親父が諏訪湖畔の仲間に呼びかけて引き出したおんばしらだ。

「宿の衆は黙っておられるか」

駿太郎の叫びに手代が、

「それが町の衆まで黒子たちと一緒になっておんばしらを引いていますので」

「なんと……」

春見屋の横暴に宿場の人たちも怒りを爆発させておんばしら引き回しに参加しているというのだ。

「山神の親分、蹴散らかしてくだされ！」

駿太郎の命に山神一家の六兵衛を先頭に三下たちが表に走った。

離れ座敷に残ったのは用心棒の橘ら剣客たちと春見屋駿太郎だ。

がらんとした庭に一人の影が立ったのはその時であった。

一文字笠の上に薄く雪が積もり、着流しの上にぴたりと巻いた南蛮外衣の肩も白く染まっていた。

「春見屋駿太郎、そなたを江戸の評定所の裁きの場に引き出す暇はない。五街道の掃除人夏目影二郎が始末してくれる」

橘の手が上がり、剣客たちが影二郎に向かって殺到しようとした。

その瞬間、弓箭《きゆうせん》の音が響いて先頭に立った剣客の胸を貫いた。

影二郎のはるか後方に控えた菱沼喜十郎が見事な道雪派の立射の構えを見せて、次の矢をつがえていた。そのかたわらにはおこまが控えていた。

剣客たちの足が止まった。

「憶したか」

「橘様」

という橘と駿太郎の声が交錯した。

橘は喜十郎の動きを見据えつつ、庭に下りた。

「素浪人、陰流橘大五郎富房である」

橘は長剣を上段につけた。

「鏡新明智流夏目影二郎」

「なにっ、そなたは桃井《もものい》の鬼か」

橘の傲慢が微妙に崩れた。

影二郎は南蛮外衣を脱ぎ捨てると、灯籠《とうろう》の足下に投げた。

着流しの腰には法城寺佐常が差しこまれてあるばかりだ。

「参る」

影二郎は先反佐常の豪剣二尺五寸三分を抜くと、右肩に立ててかまえた。

ちらちらと春の雪が舞い散る夜に一文字笠の影二郎が剣をかまえる孤影は、凛然《りんぜん》として寡黙な神気を放っていた。

先手をとられた橘は、

「糞っ！」

と罵声を上げつつ、二尺七寸余の長剣を上段に取った。

間合いは三間。

春見屋の玄関先で、

「わあっ！」

という大喚声が起こり、

「下諏訪宿の大掃除じゃあ！」

という叫びとともにおんばしらが春見屋の表戸に突きかけられた様子だ。

「鋭っ！」

橘大五郎が長剣を背に振り上げると同時に影二郎に向かって走った。走りながら剣が虚空に円弧を描いてのびやかに振り下ろされた。それは鋭い斬撃《ざんげき》で影二郎の眉間を唐竹割りに襲った。

影二郎が動いたのはほんの瞬余の後だ。

寒夜の冷気をかき乱すこともなくふわりと動いた。

影二郎の身が斬撃の刃の下に入りこみ、肩口に立てられていた先反佐常が白い光の帯となって斜めに落ちて、橘大五郎の首筋を刎《は》ね斬った。

夜目にも血しぶきが飛んで、橘大五郎は前のめりに地面に突《つ》っ伏《ぷ》していった。

影二郎はくるりと反転すると、春見屋駿太郎に向けて歩を進めた。

「な、なにを突っ立っておられる、斬ってくだされ！　そのために無駄めしを食べさせてきたのではありませぬか」

駿太郎が悲鳴のような声で命じた。だが、眼前で首魁の橘を斬り倒されたのを見せられた用心棒の剣客たちはさっと影二郎の進む道を開けた。

「さあ、やってくだされ！　倒した者には報賞金を出しますぞ」

影二郎が進む右手から飛び出した者がいた。

その剣客の胸を菱沼喜十郎の放った一筋の矢が貫いて倒した。もはや影二郎の行く手を遮《さえぎ》る者はいない。

「旦那様！」

総番頭の三右衛門や山神の六兵衛が店から走り戻ってきて、

「おんばしらが店じゅうを暴れ回っておりますぞ！」

と叫ぼうとしてその場の光景に足を立ちすくませた。

「山神の親分さん、あいつを叩き斬ってくだされ」

総番頭が哀願した。

「野郎ども……」

おこまが両手で構えた連発式の短筒をその鼻先に突き出した。

「異国製の鉄砲玉を食らいたい阿呆者はだれだえ」

六兵衛と総番頭の頭の上に向けておこまは引き金を絞った。

ダーン！

舞い散る雪を引き裂いて銃弾が二人の頭上を飛び去った。おこまはすでに阿米利加で造られた輪胴式古留止を自分のものにしていた。

「わあっ！」

蜘蛛の子を散らすように山神一家の三下たちが逃げ散り、その場に腰を抜かした総番頭の三右衛門と呆けたように突っ立つ六兵衛が残された。

「総番頭さん、伊丹主馬の一行がどちらに走ったか、教えてもらいましょうかね」

硝煙を吐き出す銃口がゆっくりと三右衛門の口に突っこまれた。

「春見屋駿太郎、おまえの運もこれまでじゃ」

影二郎が庭から離れ座敷の縁側に上がった。

駿太郎が両眼を見開いて次の間へと後退《あとずさ》りしていく。

座敷の真ん中には樽酒がおかれて、そのかたわらには一人の武士が黙念と座していた。

壮年の武士は庭の闘争にもまるで無関心に茶碗酒を悠然と飲んでいる。

影二郎は武士の膝に刀が横たえてあるのに目を止めた。

「骨っぽい用心棒を一人だけ雇っていたようじゃなあ、春見屋」

その声に顔を引きつらせた駿太郎がちらりと視線を落とし、

「常方相左衛門《つねかたそうざえもん》様……」

と喜声を上げた。

その瞬間、剣客の手の茶碗が真上に放り投げられ、正座のままに膝の剣が鞘走り、影二郎の両足に伸びてきた。

影二郎は切っ先から逃れるように横っ飛びに頭から襖にぶつかって隣室に逃れた。だが、常方相左衛門はすっくと立ち上がると落ちてきた茶碗を片手で摑み、襖を倒して転がる影二郎の方に迫ってきた。

迅速果敢な攻めで影二郎も反撃に転じる隙がなかった。

ただ影二郎は常方の間合いの外に逃れようと転がり続けた。が、常方はそのことを計算しながら迫ってくる。

背に次の間の襖が当たった。

左手をついて上体だけをわずかに上げ、佐常を横に構えた。

「夏目影二郎、もはや逃れられぬ！」

常方が勝ち誇ったように言い放った。片手に握った茶碗酒を飲み干すと、ぱらりと手から落とした。

同時に常方の右手の剣が片手殴りに鋭く弧を描いて、逃げ場を失った影二郎の顔面に落ちてきた。

影二郎が落ちてくる茶碗に目を止めながらも、片手一本に先反佐常を振るったのは意識の外のことであった。

茶碗が畳に落ちてゆっくりと跳ね上がった。それを見ながらも影二郎は先反佐常の切っ先をさらに伸ばした。

掌に肉を裁つ感触を覚えたのと、常方の剣が背後の襖の骨木を断ち切りながら影二郎の顔に迫ってきたのが同時だった。

常方の切っ先が襖を切り割り、その勢いで襖が倒れた。

影二郎の顔も襖と一緒にぺたりと敷居に落ちた。

法城寺佐常の鍔元《つばもと》で常方の必殺の刃をかろうじて受けた。それは影二郎の顔の半寸先に止まっていた。力が抜けた相手の剣を押し戻すと、影二郎の視界に常方相左衛門が横倒しになったのが見えた。

倒れこんだまま影二郎は顔だけを常方に向け、肩で荒い息をついた。

太股《ふともも》を深々と斬り上げられた常方が血の海を這いながら影二郎を見返ると、

「なんという剣じゃ」

とつぶやいた。

「常方相左衛門、破牢の罪を背負ってあの世に参れ」

「無念……」

それが剣客常方相左衛門の最後の言葉であった。

影二郎は常方から春見屋駿太郎が庭へ逃れようとするのを見た。

その恰幅のいい五体がびくりと縁側で止まった。

「あっ！」

駿太郎はよたよたと二、三歩よろめくと、影二郎の方を振り見た。

その胸には喜十郎が放った矢が突き立って揺れていた。手で矢を持とうとした駿太郎の体がねじれるように崩れると縁側から庭に落ちていった。

「影二郎様……」

おこまが座敷に飛びこんできた。

影二郎は肘をつくとゆっくりと身を起こした。


〈秀信様御許、下諏訪宿にて監察方菱沼喜十郎と合流。下諏訪宿を十余年に亘《わた》り不届きにも専断し伝馬問屋場春見屋駿太郎の罪咎《つみとが》、菱沼の奈良井宿の調べにて明白。故に成敗《せいばい》し事、報告申し上げ候。ただ今下諏訪宿、道中奉行の御用を務める伝馬問屋場を春見屋から仮に名主飯田屋初左衛門方に委託し、営業続け居り候。この事菱沼より調書を江戸に別便にて送付され候が江戸より早々に担当役人を急派の上、下諏訪宿の立て直しをされんことを進言し候。なお破牢せし伊丹主馬らはすでに下諏訪宿を立ち退き候。一味の六名のうちさらに上州浪人常方相左衛門は始末致し候。これにより処断三人。我らこれより破牢一味の首魁伊丹主馬、偽虚無僧の神谷無門こと舞々の無左衛門、鼠の久六の三名を追って東海道浜松宿に下る所存。影〉

第四話　天竜血飛沫《ちしぶき》

一

騒ぎの翌日、勘定奉行常磐豊後守秀信配下監察方・菱沼喜十郎は、道中奉行の御用を務めていた春見屋総番頭三右衛門ら奉公人を調べた。それには影二郎も同席した。

「伊丹一行は天竜を下ってどこへ向かったな」

「浜松宿の遠州《えんしゅう》屋《や》五郎兵衛の伝馬問屋場を訪ねると聞かされております」

「伊丹らは十万両余の蓄財金を持参しておったか」

「そのようなことは存じませぬ。いえ、ほんとうのことにございます」

喜十郎の問いに金峰一族とは無縁という三右衛門は顔を激しく横に振り、ただ……と言い出した。

「ただなんじゃ」

影二郎が代わった。

「主馬様には別動の者が付き従っているように思えました」

「ほう、別動隊がのう」

「一日三十里は走ると自慢の飛脚の典助が、その間を連絡役に走り回っているのはたしかでございます」

蓄財金は主馬の別動隊が保持しているのか。

「それに典助は江戸のどこぞに連絡《つなぎ》に行かされたこともあるようです」

江戸に伊丹らを動かす大物が残っているということか。

影二郎らには分からぬことばかりだ。

「そうそう、飛脚の典助は主馬様らが訪ねていかれる遠州屋の番頭輿之吉《よのきち》の実の兄にございますよ」

助かりたい一心か、三右衛門は知っていることを洗いざらい喋った。

菱沼喜十郎は宿場の仮牢に三右衛門らを留め置くための手続きを済ませた。

早晩勘定奉行の命を受けた役人が派遣されてきて新たな伝馬問屋場が発足しよう。それまで下諏訪宿が遅滞なく運営されるために宿場の町役らと喜十郎は話し合い、再建への一歩を踏み出していたのだ。

伊丹主馬らが天竜下りの船を仕立てるならば、天竜下りの拠点である釜口村あたりか。

おこまが諏訪湖岸の船宿を聞き込みに回ることになった。

その昼前、夏目影二郎は商人宿の小諸屋を出ると、あかを連れて諏訪湖畔の牛之助親父の流《ぐ》れ宿を訪ねた。

「昨晩は楽しうございましたよ。おんばしらを先頭に下諏訪宿の大掃除ができたのですからな、町の衆も大喜びにございます」

牛之助親父が回状を回して諏訪湖畔の仲間に呼びかけ、おんばしらを引き出したのだ。

「建て直しが大変であろう」

「なあに下諏訪宿は古くからの宿場、飯田屋初左衛門様をはじめ、町役の方々がおられます。年寄衆といっしょに力を合わせれば、すぐにも元通りの宿になりますって」

流れ宿の主は言い切った。

「親父どの、天竜を船で下るとしたら、浜松宿まで何日かかるな」

「急ぎ旅にございますな。湖畔の氷が溶け、雪解け水が流れ込みます。この季節は船頭の腕の見せどころでしてな。諏訪から浜松宿まで五十五里（二百二十キロ）、腕こきなら四日とはかかりますまいよ」

「探してもらえぬか」

「天竜下りの早船は二人船頭が決まりにございます。天竜下りとなると食物飲物夜具なども準備しませせぬとな」

「万事任せる、足りるか」

影二郎は牛之助に五両を渡した。

「昨日の祭りの費用も残っております。なんとかなります」

となれば、小諸屋よりも流《ぐ》れ宿を拠点にしたほうがいい。牛之助に小諸屋へ宿を代わる伝言も頼んだ。

「小諸屋様にはお伝え申します。それに天竜下りの腕こき船頭を雇ってきますでな」

親父が胸を叩いて、手配に出かけた。

影二郎とあかは、流《ぐ》れ宿の留守をしてその日を過ごした。

泊まり宿の巡礼や門付芸人が顔を見せる夕刻、最初に小諸屋から回ってきたのは菱沼喜十郎だ。

「ご苦労であったな」

「春見屋の蔵には百両とまとまった金が残っておりませぬ」

「大方、主馬がさらっていったのであろう」

喜十郎は、流れ宿の板の間で下調べした内容を箇条書きにし始めた。江戸から派遣されてくる役人に宛てて書き残そうとしていたのだ。

囲炉裏端の火を掻き立てた時、牛之助が一人の少年を連れて帰ってきた。

「船の仕度は今夜じゅうに終えますよ。主《おも》船頭はわれらの仲間で渡守の権十《ごんじゅう》、助《すけ》船頭が倅の蚊《ぶん》六《ろく》にございます。二人の腕前はこの牛之助が請け合います」

「ようやってくれた」

「船には今夜じゅうに食物も酒も夜具も積みこむように手配してございます」

牛之助は二両三分ほど余ったと置き、

「ちょいとお頼みしたいことがございます」

と伴ってきた少年を影二郎の前に頭を下げさせた。

「この者、われらの仲間の倅で栄吉と申します。兄の橋太郎が菱垣廻船《ひがきかいせん》龍神丸の炊《かし》きをしておりましたが鳴門《なると》の渦に飲まれて亡くなりました。そこで橋太郎に代わって炊き見習いになるため、豆州《ずしゅう》下田湊の船問屋黒潮屋へ行かねばなりませぬ。こやつの乗る廻船が下田湊に立ち寄るのは一月余りも後のことにございますが、なにしろ諏訪から出たことがない」

と事情を説明した牛之助は、

「夏目様、天竜下りの船の端にこの者を乗せてはいただけませぬか。道中のめしの仕度くらいは役に立ちますでなあ」

「栄吉か、いくつになる」

「十四にございます」

まだ体はか細かったが目だけはきらきらと光っていた。

「栄吉、まずはあかの散歩をさせてこい」

「お侍様、乗せていただけますので」

栄吉が必死の面持ちを影二郎に向けた。

「牛之助親父には昨晩も世話をかけた。その頼みごとを断れるものか」

うれしそうに笑った顔をぺこりと下げた栄吉が板の間から下りる前に、あかが悠然と流れ宿の外に出ていった。

「栄吉、犬に小馬鹿にされるでないぞ」

牛之助の言葉に栄吉が慌ててあかを追った。

おこまが最後に流れ宿に姿を見せたのはその四半刻（およそ三十分）後だ。寒さが菅笠の下の顔をこわ張らせていた。

「春見屋の総番頭三右衛門の申すことは虚言ではありませんでした。四日ほど前に釜口の船宿塩尻屋の船を二隻仕立てて天竜を下っております」

「主馬の一行は何人か」

「船宿の塩尻屋から出た折りには主馬、舞々の無左衛門、鼠の久六の三人。途中にて仲間と合流すると申したそうにございます」

三右衛門の申した別動組のためのものか。

「二隻目の船は空船で出立したか」

いえ、それがと言ったおこまが、

「重たき俵包みが三十俵余り二隻の船に載せられたそうにございます。船に運びこんだ男衆の話では米とは違う重さにございましたそうな」

「十万両であろうか」

　と独白する影二郎に、

「それと今一つ気になることがございました」

「なんじゃな」

　調べ書きを筆記し終えた父親の喜十郎も二人のそばにきた。

「正丸峠で出会いました大目付秋水左衛門丞様ご支配下近石十四郎一行が岡谷宿から船と伊那街道の二手に分かれて、主馬らを追跡して本日の昼前に立っていきました。連れの者は宿帳によりますと、江戸四谷御門近くの一刀流道場主御《み》子《こ》神《がみ》氷《ひょう》江《え》と門弟となっております。総勢はおよそ十三、四人にございます」

「道中奉行を兼務される大目付どのの家来が道場主らを江戸より呼び寄せて、主馬らを追うとは、やはり十万両の蓄財金が狙いであろうな」

「なんとも不思議なことにございますな。確かに大目付の役職は勘定奉行と道中奉行を兼務して監督するものにございます。実際はわれら勘定奉行の道中方が五街道を管理してまいりました。それがこの度の一件は、秋水様のご支配下がわれらより先に動かれて、道中方の伊丹主馬を捕縛し、切放のあとは江戸を離れて追跡までなさる」

「その手の者の多くは役人ではない。奇怪なことよ」

影二郎らの胸のうちにもやもやしたものが漂っていた。

「まあ、よい。われらも明日から天竜下りじゃあ、旅路が謎を解きほぐしてくれようぞ」

「影二郎様！」

と悲鳴を上げたのはおこまだ。

「伊那街道をいくのではないのですか」

おこまは信濃川を船で下り、散々な目に遭ったことがある。

「おこま、船頭は天竜下りの名人じゃそうな、心配致すな」

「影二郎様は湖から流れ出す水流の勢いをまだご存じないから、そんな呑気なことを申されるのですよ」

「おこま、主馬らも船、大目付の手先一行も船。われらだけが陸路を辿るのではお役目が果たせまいぞ」

喜十郎が笑って娘に言い、おこまはがっくりと肩を落とした。

朝靄の漂う諏訪湖湖畔にがっちりした体付きの船頭二人が操る船が接岸していた。

流れ宿を出た夏目影二郎、菱沼喜十郎とおこま親子の三人が、

「世話になったな」

と牛之助親父に礼を述べた。

喜十郎は小脇に弓と矢筒を抱えている。

「栄吉のことお願いいいたしまする」

「下田湊まで送り届けてやる」

すでに栄吉は船に乗って、てきぱきと三人の座を用意していた。

「主船頭の権十、助船頭が蚊六と申します。この界隈でまずはこの親子ほど天竜川の流れを知り尽くした船人はいませんだよ。安心して乗ってなせえよ、おこま様」

おこまに視線を向けた牛之助親父が、

「権十、浅草のお頭の知り合いじゃあ、粗末にしたら溜に送るでな。なんとしても無事に浜松宿までお送りするのじゃぞ」

と半ば脅すように言い、影二郎らとあかが船上に乗り移った。

船の長さは十間（十八メートル）余、船幅は五尺（一・五メートル）余、舳先と艫《とも》に櫓が添えられた頑丈な船だ。艫近くに短い帆柱があって一枚帆が張られるようになっていた。船の中央部には簡素な葦屋根があって、その下にはこんもりと厚布と油紙に覆われた小山があった。どうやらそこに夜具や食料、炊事道具などが積まれているらしい。

影二郎らは葦屋根近くに思い思いの場所を決めた。

「さらばじゃ」

「お達者で」

牛之助の声に送られて竿《さお》が突かれ、船が湖上に滑り出た。

帆が張られて岡谷宿近くの寒村釜口に向かう。風を帆がはらむとすべるように諏訪湖の西岸から流れ出す天竜川へと一直線に進んでいく。

あかはおこまの膝に頭を乗せて目をつぶった。

白み始めた湖面にはわかさぎ漁の船が点在していた。

「栄吉、お客人に茶なと差しあげんかい」

主船頭の権十が栄吉に命じた。

「へえっ」

「いいかえ、おまえが働くのは荒れ狂う大洋《おおうみ》が仕事場、船底一枚下は地獄じゃぞ。それに廻船の炊《かし》き修業はきびしい、それに比べればな、天竜下りなんぞは極楽仕事よ」

権十が菱垣廻船の心得を言い聞かせ、

「こやつの親父はわしの朋輩《ほうばい》でしてな、早死にしやした。栄吉はまだ若い、廻船乗りはかわいそうなんじゃが、兄じゃの橋太郎が死んではなあ」

と嘆いた。

栄吉は風呂敷をほどくと、藁《わら》で編んだ器に入れられた土瓶《どびん》や茶器を出して茶の用意を始めた。

「徳利が見えるが酒か」

「小諸屋さんに尋ねたら、旦那は酒好きて教えてくれたでな。存分に積んでありますぞ」

「ならば茶碗でよい、もらえぬか」

おこまが茶碗を二つ、影二郎と喜十郎の前に置き、栄吉が徳利を摑んだ。

「御用を持つ身、朝酒では少々気がひけます」

喜十郎が遠慮した。

「われらはいつどこぞで白骨と果てるやも知れぬ身、飲むもよし飲まぬもまたよし。好きにせよ」

「影二郎様にそう申されますとお断りもしがたい」

「父上、お飲みになるのでしたら言い訳は申されますな」

「きびしい言い草は亡き母にそっくりじゃ」

喜十郎が苦笑いした。

「御厩河岸《がし》の明王院普賢寺《ふげんじ》の墓にそなたの内儀《ないぎ》が眠っておられようとは気がつかなんだ、迂闊《うかつ》であったわ」

影二郎は秀信に普賢寺の菱沼家の墓所の前に呼び出されたことがあった。

「影二郎様はうちの墓をご存じでございましたか」

おこまが思いがけないという顔で見た。

「萩の花が咲き乱れて茜色《あかねいろ》の夕日を浴びた光景は夢のようであったわ。おこまの母じゃはあそこに眠っておられたのじゃなあ」

「私が十一のときに流行病《はやりやまい》で亡くなりました」

「なんとまあ、おれと似た境遇よ」

影二郎の母親おみつも早くに亡くなっていた。影二郎は信州の酒を喉に落とすと、

(菱沼家が江戸でどのような暮らしをしていたか)

知らなかったなと思った。

「胃の腑に染みますな、朝酒も悪くない」

実直な人柄の喜十郎には朝酒など考えられないことであった。

おこまはそんな父親を見ながら茶を喫した。

下諏訪から塩尻宿の中間に釜口集落が望めるようになった。

「いよいよ川下りですねえ」

おこまが緊張したように言うと、土瓶や茶碗を藁の器に戻した。

「帆を下ろすぞえ」

権十が舳先に立つ倅の蚊六に叫ぶ。

「栄吉、お神酒《みき》じゃ」

栄吉が素早く小樽に入った酒を舳先に立つ蚊六に持っていった。

蚊六は栓を抜くと舳先から湖面にお神酒を注ぎ、

「船魂《ふなだま》様、水神様、水行平穏をお願《ねげ》え申します」

と頭を垂れて祈りながら、樽酒を天竜川の水源の湖に捧《ささ》げた。

艫でも権十が瞑目し、栄吉も祈りに加わっていた。

おこまも喜十郎も旅路の安全を諏訪の八坂売刀姫に祈願した。

影二郎だけが黙念と酒を嘗めるように飲んでいた。

「飛沫《しぶき》がかかりますでな、濡《ぬ》れぬように合羽なんぞを着てくだされや」

権十の声に影二郎らは持参の南蛮外衣や道行衣を身にまとって、その時に備えた。

船はゆるやかに速度を上げて、天竜川の水源釜口に吸いこまれていった。

いよいよ五十五里（二百二十キロ）に亘る天竜下りの始まりだ。

おこまの手が無意識のうちに船縁を摑んだ。

諏訪湖を覆い尽くした氷が春の息吹とともに溶け始め、諏訪湖からただ一つ流れ出す天竜川へと滔々《とうとう》と押し寄せていた。

船底が震え、轟音《ごうおん》があたりに響き出した。

あかがむっくりと起きた。

背の毛が逆立っている。

「あか、ここにおいで」

おこまがあかを膝の前に引き寄せた。

「これは……」

両眼を見開いた喜十郎が行く手をかざし、

「おこまでなくとも怯えまするぞ」

「ちったあ尻っぺたは痛くなろうがな、旦那方や娘ごを雪解け水に放り出すような真似はしないでよ。権十の櫓さばきを見ていなせえよ」

舳先に立った蚊六は船縁の短い櫓を足先で操り、竿を構えて屹立《きつりつ》している。

さすが流れ宿の牛之助親父が推挙しただけに船頭親子は自信に満ちあふれていた。

船がさらに早い流れに乗った。

船の周辺には氷の断片が浮いて、それが船といっしょに釜口へと流れていき、時にごつごつと船縁に当たって不気味な音を立てた。

飛沫が影二郎たちの顔に、体に当たって砕けた。

三人は合羽の中に身を竦め、笠の縁を顔の前に下げた。

それでも冷たい飛沫が飛んで来た。

巨大な漏斗《じょうご》の狭い口に吸いこまれていくのだ。

釜口の家並みも岸辺に上げられた船も後方に流れていく。

今まさに信州の山並みの雪解け水と諏訪湖の氷水を飲みこんで天竜川という一筋の流れに変じていた。

壮大にも春の音が騒《ざわ》めいてひしめき、まだ冷たい光が躍った。

影二郎は蚊六の見事な足さばきを見ていた。

足先にひっかけた櫓を巧妙に操って、船を流れに乗せて走らせる。

親父の権十は刻々と変化する流れを見ていた。

「鮮やかなものにございますな」

喜十郎が嘆息した。

どれほどの時が流れたか、ふいに流れが弱まった。

騒めきがうすらぎ、船も安定した。

「肝《きも》が潰《つぶ》れました」

おこまが青い顔でつぶやく。

「もう安心しなせえよ、川岸村じゃあ」

あかもさすがにへばっている。

「蚊六、権十」

船を引いて上がってきた仲間が叫ぶ。

「なんじゃい、とんびの船頭よお」

「宮木宿外れでよ、船が襲われたそうじゃ、気つけていけえ!」

「こっちは腕の立つ侍さんが客じゃあ」

とんびの船頭の姿は後方に消えていった。

「伊那谷には山賊も出るのか」

「天保の飢饉はいつまでも続くだ。逃散《ちょうさん》した百姓衆が旅の人を襲うという話は聞かないじゃねえが天竜下りの船とは聞き始めだ」

厚い雲を割って光が天竜の流れに差しこんだ。

あかもようやく船に慣れたか、顔を持ち上げてあたりを見回した。

影二郎は朝酒に陶然として夜具に背を持たせかけて目を閉じた。

二

下諏訪の湖岸からおよそ四里（十六キロ）の伊那街道の平出宿を過ぎると川幅は一段と広がり、流れもゆったりと落ち着いた。

おこまは伊那谷を一直線に南下する船旅をようやく楽しめる余裕が生まれた。

「父上と旅をするのは初めてにございますな」

おこまが喜十郎を振り見た。

「思いがけなくも影二郎様とそなたに旅の空で出遭うたのは神仏のおかげじゃな」

「御用旅とは分かっておりますがうれしうございます」

勘定奉行常磐豊後守秀信の下で監察方を務める父と娘は互いの顔を見て、ほほ笑み合った。

舳先の蚊六が親父の権十に合図すると船は大きくうねった河原に寄っていった。

喜十郎とおこまが見ると岸辺に一隻の船が転がっていた。

「旦那、塩尻屋の船が襲われたようだ」

伊丹主馬の一行が賊に襲われたか。

影二郎も目を覚ました。

権十の船が塩尻屋の船のかたわらに止まった。岸辺に放置された船は折れた矢が突き刺さり、刀傷があちこちに見え、燃やした跡が残っていた。

「影二郎様、伊丹らは浜松宿に運ぶ十万両を強奪されたのでしょうか」

おこまがつぶやくように聞いた。

影二郎は船を燃やそうとして焼け残った叺《かます》の燃えかすを黙念と見続けていたが、

「先を急ごうか」

と権十に催促した。そして船が流れに戻ってもなにかを考え続けていた。

「南蛮の旦那、もうすぐな、三州街道と合う松島追分宿じゃぞ」

三州街道は天竜川の西に走る古道だ。

「松島追分の道標はよ、にぎり飯みてえな三角の石だ。寛延《かんえん》二年（一七四九）、松島を所領地となさる旗本五千石太田壱岐守《いきのかみ》様によって建てられただよ」

物知りの船頭は、

「右すハみち　左まつもと」

と刻んであるといった。右を北上すれば天竜川沿いに諏訪に到達し、左をとれば三州街道で小野、塩尻、松本宿に至るというわけだ。

再び船が十沢橋際の船着場に接岸しようとしていた。

「旦那方よ、松島宿だ。ここの河原で昼めしをとるだよ」

岸辺に飛んだ栄吉はもやい綱を杭《くい》に結び、船から鍋を下ろすと河原で薪を拾い、独楽鼠《こまねずみ》のように働き始めた。

「影二郎様、近石十四郎の徒歩組が通過したかどうか調べて参ります」

三味線を抱えたおこまと喜十郎は船縁から岸辺に飛び、宿場の方に去っていった。

影二郎も河原に上がるとそこいらを歩き回った。

あかは長々と小便をすると流れに口をつけて水を飲んだ。

この刻限、天竜川を上り下りする船頭たちが昼食をとるためか、河原のあちこちで炊煙《すいえん》を上げていた。

影二郎が宿場のほうに目を転じると、今しも土手を四人連れの女たちが河原に下りてこようとしていた。

三人は大きな籠を背負い、手にも菰包《こもづつ》みや風呂敷包みを提げていた。だが四人目の老婆は腰でも痛めたか、杖を突きながらよたよたと仲間たちに従っていた。

「あか、船に戻ろうか」

権十の船のかたわらの河原で栄吉が手際よく火を起こして、大鍋に山菜や野菜を煮込んだうどんを作っていた。

あかがくんくんと鼻を鳴らした。

「これはうまそうじゃな」

「旦那、猪肉をたっぷり入れてあるでな、体が温まろうぞ」

「それはなによりの馳走じゃな」

影二郎が火のそばの岩に腰を下ろしたとき、喜十郎とおこま親子が宿場から戻ってきた。

「影二郎様、伊丹一行は松島宿に立ち寄った形跡はございませぬ」

喜十郎が報告し、おこまが続けた。

「近石十四郎に率いられた御子神氷江の門弟衆は、昨晩、この旅籠に泊まっておりました。昨晩は川組と陸組で会議が行われた模様にて、明け六つ（六時）過ぎに船組も陸路組も相次いで出立していったそうにございます」

「権十、追いつけるか」

「わしらは上穂《うわぶ》宿泊まりかねえ。相手はさらに四里から五里先にいよう。明日には十分に追いつけべえよ」

権十は自信たっぷりに言い切った。

「栄吉、うどんも出来上がったであろう。客人に差し上げろ」

おこまも手伝ってお椀《わん》にたっぷりの具が盛られたうどんがよそわれて、影二郎らに配られた。

さて食べようかと思った矢先、

「昼めし時分におそれいります」

と声がかかった。

影二郎が振り向くと大荷物を背負った女の四人連れだ。声をかけてきたのは、中でも一番若い娘だった。

「船頭どの、わたしらは舞坂宿《まいさかしゅく》の漁師の家族にございましてな。塩、干し魚を担いで商い方々善光寺参りに行った帰りにございます。見てのとおりにばあさまが腰を痛めて歩けなくなりました。飯田宿から船で下ろうと考えてここまで来たのですが、もはや一歩も歩けぬと弱音を吐きます。川下りの船にお願いして歩いたのですがどこも荷を積んで、人間を乗せる余裕はないと申され、断られました」

「それは難儀じゃな」

影二郎ははきはきと話す娘の顔を見た。ばば様を気遣う心情が顔にあふれていた。

「相乗りさせてはいただけませぬか」

権十が娘を見ると、

「わしらの主はあのお方だ。頼むならわれではねえ、旦那に願え」

と影二郎を指した。

「船旅もなかなかしんどいぞ」

「ばば様は幼き頃から遠州灘《えんしゅうなだ》で船に乗っております。船には慣れておりますで歩くよりなんぼか楽にございます」

影二郎の答えに娘が応じ、

「権十、かまわぬか」

と影二郎は船頭に許しを求めた。

「旦那が承知ならかまわねえよ。下り船じゃ、四人ぐらいはなんともねえ」

「娘、乗っていけ」

「ありがとうございます」

と頭を下げた娘は懐から財布を出すと、

「船賃はおいくらにございますか」

と支払う様子を見せた。

「旅の難儀は相身互《あいみたが》いじゃ、そのような心遣いは無用に致せ。それよりな、そなたらも出来たてのうどんを相伴《しょうばん》せえ」

おこまと栄吉が四人分のお椀にうどんを盛った。

「なにからなにまで申しわけねえだ」

お椀を押し頂いた娘が、

「名はやえと申します。ばば様は神徳丸のよね、朋輩はつねにかつでございます」

と名乗った。

「まずは栄吉のうどんを食べようぞ」

船下りに冷えた体にはなによりのご馳走であった。

「これはおいしうございますな」

おこまも思わず嘆息して、栄吉に笑顔を向けた。

「これなら一人前の炊きになれようぞ」

影二郎の言葉に栄吉もうれしそうに笑った。

あかはおこまのかたわらにへばりついている。おこまが猪肉を分けてくれるのを待っているのだ。

船頭の権十と蚊六の親子はお椀で何杯もお代わりして食べた。さすがに力仕事、胃袋も大きいとみえた。残ったうどんはあかが平らげ、再び船下りの仕度にかかった。

栄吉は夜具の包みをほどくと、艫にばば様の居場所を葦屋根の下に作った。その間におこまとやえが汚れた鍋とお椀を流れで洗った。

「さあて行くべえか」

松島宿の十沢橋を離れて流れに戻った権十の船は、伊那街道を右に見て、伊那部宿を目指す。腰を痛めたばば様は栄吉が作ってくれた夜具の上に横になり、娘たち三人が囲むように座していた。

「影二郎様」

行く手に残雪を抱いた木曾駒ヶ岳が望遠された。

ふいに松島宿の方角から早馬が一騎伊那街道を南下していった。

砂塵《さじん》を巻き上げて走る早馬は江戸からの急使か。馬上の侍はちらりと船を見たが、その面体には緊張があった。

「はぁーあ　天竜下ればしぶきにぬれる
　もたせやりたや　もたせやりたや檜笠《ひのきがさ》
　ソリャこいあばよ」

権十が渋い喉を披露《ひろう》して旅情を盛り上げたが鈍色の空がさらに陰《かげ》ってきた。すると船上は急に寒さが覆った。

木下、北殿、田端集落と流れを下る船に声がかかった。

「蚊六、道中奉行の船調《ふなしら》べじゃぞ！」

船を綱で引きながら上がってくる船頭仲間が舳先に立つ蚊六に声をかけた。

「どこでじゃなあ」

「三峰《みぶ》川と合わさる河原じゃあ！」

船は一瞬のうちに仲間の船頭の声を後方に置き去りにした。

三峰川は高遠《たかとお》藩三万三千石の城下町から西に流れて天竜川に合流した。その地域の高台に開けた宿場が高遠藩中伊那部宿だ。

「船調べはよくあることか」

影二郎の問いに、

「とんと聞かないな」

と権十親父が首をひねった。

影二郎は艫に黙りこんで座る四人の女たちの間に緊迫が走るのを見た。

「心配するでない」

影二郎がやえに声を掛け、権十と蚊六が船足を緩めて岸辺に船を寄せていった。

行く手に船が並んで船調べを待っているのが見えた。

船調べは下り船だけとみえる。

取り調べの役人たちの姿が焚き火にちらちらと望めた。が、それは役人の服装ではなかった。

影二郎は着流しの腰に法城寺佐常を差しこむと一文字笠を手に岸辺に飛んだ。そして宵闇に姿を没していった。

権十はゆっくりと船調べを待つ先行の船の後につけ、

「船調べじゃそうなが、何の調べかわれ知らんかえ」

と前の船頭に聞いた。

「それが分からねえ。われも長いこと天竜を上り下りしているが初めてのことじゃあ」

おこまは船調べの頭分が大目付兼務の道中奉行秋水左衛門丞様支配下近石十四郎であることに気付いていた。

近石はもう一人の恰幅のいい武家と二人ならんで床几《しようぎ》に座り、船頭や船客たちを調べている。

「父上、秋水様の支配下の近石様にございます」

おこまが小声で知らせる。

「ならんで座るのが御子神氷江とか申す道場主、残りは御子神の門弟衆であろう」

「どういたします」

おこまは荷に忍ばせた阿米利加製の連発短筒の上に手を置いた。

「影二郎様にお任せしておけばよかろう」

喜十郎は平然としたものだ。

前の船から船頭たちが下ろされ、近石と御子神の前に引きすえられた。

「江戸の牢屋敷から破牢して逃げた者が伊那路に立ち寄ったという知らせがあった。その方らはしかと天竜下りの船頭に相違ないか」

近石の詰問《きつもん》の声がおこまの耳に届いた。荷から布に包んだ連発短筒を懐に移し、その上に道行衣を羽織った。

「船頭、客たちをすべて下ろせ」

「お役人、善光寺参りのばば様が腰を痛めて伏せってござる。ばば様だけでも許してくれめいかな」

権十の頼みに、

「ならぬ。全員を河原に下ろせ」

と無体な命が下った。

「やえさん、仕方ございませぬ。船をばば様にも下りてもらうしかございませぬよ」

と言いながら、おこまはあかの体の上に影二郎が残していった南蛮外衣をかけて隠した。あかも心得たもの、静かに息を潜めていた。

秩父の正丸峠で近石十四郎に出会った時、影二郎とおこまはあかを連れていた。

近石もやえら女四人に紛れたおこまを見落とすのではないかと思ったからだ。

御子神の門弟たちにせかされておこまらは河原に下りた。

権十親父が先頭に立って近石の前におこまらは引きすえられた。

「武家が混じっているようじゃが乗り合いか」

近石十四郎がおこまら一座を見回した。

「いやさ、お侍が急用で東海道筋に出られるのにさ、善光寺帰りの女衆が松島宿から相乗りを頼まれただよ。見てのとおりばば様は腰を痛めておられるでな」

権十の答えを無視するように近石が菱沼喜十郎を見た。

「貴殿はどちらのご家中かな」

「それがし浪々の身でござれば、主持ちではありませぬ」

「待て、浪人風情が天竜下りの船を雇うとはちと解せん」

「船頭も申したとおりちと急用にてやむにやまれず……」

近石の視線がおこまに止まり、

「ほほお、奇遇じゃな」

とにやりと笑った。

「奇怪な長合羽を使う浪人者はどうしたな」

近石はおこまを見覚えていた。

「この者はそれがしの娘にございます。お役人どのはだれぞと勘違いをなさっておられるのではありませぬかな」

「見忘れることがあるものか。正丸峠で怪しげな浪人者と一緒に旅をしていた女じゃ」

喜十郎の反論を一顧だにしなかった近石は御子神の門弟に船をよく調べよと命じた。

「待たれよ、近石十四郎どのはいかなる権限をもって天竜下りの船調べをなさっておられるや」

腹を決めた喜十郎が近石に問い質した。

「ほほお、そなたはそれがしの名を知っておるか。ならばどなたのご支配下にあるかも存じておろうな」

「大目付秋水様のご家臣と承知しておるが」

「ならば話が早い。大目付は五街道の道中奉行職を兼務致す」

「同時に勘定奉行勝手方が道中奉行を分掌するのも習わし。戦乱の時でないかぎり実務は長年勘定奉行の道中方が行ってきた。そなたの任務が特命というならば、大目付秋水どのの書き付けを示していただこうか」

菱沼喜十郎が毅然と問い質す。

「おのれ、言わしておけば大目付ご支配下に幕府の役職を説くか」

「説くにはいわれがございましてな」

「そなたは何者か」

「名乗れば近石どの、そなたの立場が困ったことになる」

「ええい、面倒じゃ。こやつらを引っとらえよ」

切れた近石が御子神に命じた。役人に化けた御子神の門弟たち数人が菱沼喜十郎らを囲もうとした。

船を調べていた偽役人があかを見つけた。が、反対に吠えかかられて尻込みした。

「女、そなたの連れはどこにおる」

「ここじゃ」

影二郎の孤影が闇から浮かんで現れた。

「黙って通せば怪我をせずに済んだものを……」

「御子神どの、こやつでござる。そなたの門弟衆に怪我を負わせたのはな」

床几からすいっと御子神氷江が立った。

どっしりした身のこなしに道場主の風格があった。

「一刀流御子神氷江《ひょうえ》氏誠《うじさと》にござる」

「風来坊の夏目影二郎」

「夏目……」

とつぶやいた御子神が、

「桃井《もものい》道場の夏目か」

とせき込むように聞いた。

「ならばどうするな」

「者ども、こやつは鏡新明智流の鬼と言われた夏目瑛二郎じゃ、油断するでない」

門弟に声を掛けると自ら剣を抜いた。続いて抜刀した門弟たちが影二郎を半円に囲んだ。

影二郎は自ら門弟たちの半円に入っていった。すると半円は円と変じて塞ぎ、その中心に影二郎の長身が立った。

その間に権十らは戦いの外に逃れ、喜十郎とおこまは権十らを背後にして片膝をついて構えた。だが、二人とも戦いは影二郎に任せる気でいる。

「師匠、おもしろい。桃井の鬼がどの程度のものか、試してやる」

門弟のうち、大兵《だいひょう》の一人が長剣を肩に担ぐように構えて、影二郎を挑発するように前後に動いた。その者を入れて影二郎を囲んだのは六人、御子神氷江は門弟の輪の外に立っていた。

高弟らに影二郎の腕を試させた後、仕掛ける気であろう。

影二郎の腰の法城寺佐常は未だ鞘の中だ。

「鋭《えい》っ！」

大兵がふいに突進してきた。同時に影二郎の眉間に叩きつけるように懸河《けんが》の剣を落としてきた。

影二郎はただ立っていた。一見竦んだようにも見えた。

（南蛮の旦那……）

権十が心の内でつぶやいた。

太刀風を頭上に聞いた影二郎はその切っ先が一文字笠を切り裂こうとしたとき、その長身を沈ませると斜めに走り、一寸躱《かわ》しに刃下を潜り抜け、後陣の仲間に体当たりを食らわせると突き飛ばした。そして右手が法城寺佐常二尺五寸三分の柄にかかって抜き差すと、高弟の動きを見ていた御子神氷江の下に一気に迫った。

思いがけない行動に慌てた御子神は脇構えの剣を立てようとした。

その瞬間、先反佐常の豪剣が御子神氷江の脇腹を深々と両断するように斬り付け、そのかたわらを疾風のように走り抜けていた。

「げえっ！」

血を振りまいて御子神氷江が河原に倒れこんだ。

「師匠！」

「先生！」

門弟たちの悲痛な叫びが河原にこだまして、影二郎が反転した。

その前面に大兵の門弟が突進してきた。

豪快な胴撃ちが影二郎を襲う。

だが、虚空に刎ね上げた先反佐常の切っ先が刃風とともに大兵の眉間を立ち割り、一撃の下に斬り下げたのが一瞬早かった。

瞬時のうちに御子神氷江と高弟の一人を斬り伏せられるのを目撃した門弟たちは、怖気《おじけ》立ってその場に凍りついた。

影二郎の乱陣の剣が一転してゆっくりと回される。

「天竜河原に屍《しかばね》を晒《さら》したい、お次の方はどなたかな」

無言《しじま》が答え、重苦しい時が流れる。

「ならば、この場を立ち去られえ！」

御子神の門弟衆は影二郎の一喝《いっかつ》に算を乱して河原から逃散した。

「残るは大目付どのの家来か」

切っ先が近石十四郎に向けられた。

「な、なにを無体な……」

「権十、船に皆を戻せ。こやつにな、ちと聞いておきたいことがある」

と命じた影二郎は、床几から転がり落ちた近石の首筋に血の滴る切っ先をあてた。

三

その夜、権十の船は伊那部宿を脱《ぬ》けると一里ほど下流の河原に野宿することにした。

伊那部宿は高遠藩内藤様のご領地、騒ぎを起こした所領地をひとまず離れることにしたのだ。

権十と蚊六親子は船を河原に上げると葦屋根の下に寝床を造り始めた。

栄吉は早速河原で薪を拾い集めにいく。それをおこまが手伝った。

「おこま様、あの侍さんは強いなあ」

無口な栄吉が感嘆したようにいう。少年は目のあたりに斬り合いを見せられてひどく興奮していた。

「なんといっても桃井道場の師範代を務められたお方、用心棒を生業《なりわい》にしているような者の腕とは比較になりませんよ」

と言いながら、影二郎がなぜ一人で近石十四郎を尋問したか、そして、なぜそのことを喜十郎やおこまに話してくれないか気にかけていた。

影二郎は四半刻（三十分）ばかり近石を問い詰め、その後、近石と従者を、

「どこなと好きなところへ行け」

と解き放ったのだ。

ばば様を改めて葦屋根の下に寝かせたやえらが河原に石を拾って竈を造り始めた。

「南蛮の旦那、酒は船の下に下ろしてあるでよ、勝手にやんなせえよ」

権十が船から叫んだ。

「そなたらばかりに働かせてわるいな」

「なんのなんの、おめえ様は客人じゃあ。それに派手な立ち回りまで見せてもらっただよ。酒ぐらいは自由に飲みなせえよ」

権十までもが気を高ぶらせていた。

喜十郎が徳利と茶碗を持ってくると、影二郎と自分の分を注いだ。

差し出す茶碗酒を受け取る影二郎に、

「影二郎様、なんぞ気がかりがございますか」

と自らも茶碗を持った喜十郎が聞いた。

「佐竹吉勝のことじゃ」

「佐竹、にございますか」

喜十郎の声が当惑していた。

「佐竹が道中方に転じたは、父が勘定奉行勝手方に就かれた直後であったな」

佐竹吉勝は勘定奉行所勝手方の役人であったが、勘定奉行と大目付が兼務して監督する道中奉行道中方組頭に転じた。そのわずか一年後に不正があったとして、自刃して果てていた。

「もしやして佐竹は父が道中方に放った密偵ではないか」

影二郎の問いに喜十郎は小さな吐息で答えた。

「影二郎様、お奉行はそのことをどなたにも申されませぬ。ですが、佐竹殿が自害されたと知らされた時のお奉行の動揺は尋常ではござりませんでした」

とすると佐竹は秀信が道中奉行の道中方に潜りこませた密偵の可能性があった。

「父上は那辺《なへん》に疑念を抱いて、佐竹を道中方組頭に転じさせたのであろうか」

「常磐様は勘定奉行就任以来、役所の帳簿を屋敷まで持ち帰られて、毎晩遅くまで、時には明け方まで読みこまれるお方にございます。なにか疑念を感じられたとしたら、帳簿上から不正の臭いを嗅《か》ぎとられたのではありませぬか」

影二郎が知る屋敷内での秀信は家付きの奥方鈴女に気がねして、ひっそりと小さくなって過ごす姿であった。

影二郎はそれが嫌さに屋敷を出たのだが、影二郎が知らない秀信の姿であった。

危惧の顔に変えた喜十郎はさらに語を継いだ。

「お奉行が影二郎様に伊丹主馬ら破牢者を捕らえた後に江戸送りとせず、その場で処断せよと命じられた背景《うら》には、不正の影に幕閣の大物が浮かんでいると考えられませぬか」

おこまが栄吉を手伝い、流木を拾い集めてきて火を起こし始めた。そして影二郎と喜十郎が話しこむのをちらちらと気にしながら見ていた。

「大目付秋水左衛門丞か」

「秋水様と伊丹は一味ということになりますな」

そこが二人には判然としなかった。

「道中方組頭に就いた佐竹は密命をかぎつけられ、秋水派によって拉致《らち》された後、不正の廉《かど》ありとして強引に詰め腹を切らされた格好で始末された」

「とするならばなぜ秋水様は伊丹主馬を捕縛したのでございますか。またたれが伝馬町の牢屋敷から切放を画策して伊丹を破牢させたのでしょうか」

「秋水が捕縛して秋水が切放を策したとは考えられぬか」

「何とも面倒な、納得いきかねますな」

と老練な監察方は言い切り、話題を転じた。

「近石十四郎はなんぞ吐きましてございますか」

「いや、秋水から伊丹主馬の一行が金峰屋敷に立ち寄る情報に接したゆえに追跡して、伊丹一行の動静をぴったりと見張れと命じられたというのだ。また他に伊丹一行を追捕する者があるならば、断固排除せよと命じられてもいるそうな」

「なんとも分かりませぬな」

菱沼喜十郎も首を傾げた。

「影二郎様、近石は大目付から深い事情は知らされていない」

「とみたがな。ともあれ、われらを二度にわたって襲ってはみたが、失敗した。もはや大目付秋水の下には戻れまい」

その言葉に喜十郎はなにも答えなかった。

女たちが栄吉を手伝って玄米を釜に炊き、別の大鍋に塩漬けのしゃけのぶつ切り、大根、かぼちゃ、里芋など海の幸、山の幸を切りこんで、酒滓《さけかす》仕立ての汁を調理している。そのせいで河原に酒粕の香りが漂った。

「旦那方、火のそばにきなせえよ」

船頭の権十が船の手入れを終えて声をかけた。

「おお、そうしようか」

影二郎と喜十郎が火のかたわらに席を移した。

大根や菜漬けを山盛りした丼が権十と蚊六親子の前にあった。

「旦那、上穂宿まで行けなかったな」

「一刻を急ぐ旅でもなくなったわ、ゆっくり行くさ」

喜十郎が船頭親子に、ご苦労であったなと茶碗を差し出した。

「お侍様に酒を注がせてすまねえことだ」

と権十はうれしそうに破顔した。

「先夜のおんばしら様の春見屋に担ぎ込みといい、旦那の考えることは万事が派手でございますねえ」

「幕府が始まって二百余年の歳月が過ぎておる。五街道にも蜘蛛の巣が張り、澱《よど》みができて腐っておる。どうせ大掃除するなら大胆にやらねばな」

「最前の役人方が追ってくることはありますまい。まだこの先にも別口が待ちかまえていなさるのかねえ」

「掃除もまだ半ば、どこぞに有象無象《うぞうむぞう》が隠れ潜んでいよう」

「旦那のあとにどこまでも付いていきたくなるねえ」

豪快に茶碗酒を飲み干した権十は、

「栄吉、樽から酒を注いでこい」

と新たな酒を命じた。そんな親父を倅の蚊六は静かな笑みを浮かべて見守っていた。

「おこま、善光寺帰りの女衆にも酒を勧めてくれ」

影二郎の言葉におこまがやえらに茶碗を差し出した。

「お侍様、気持ちはありがてえがわしらは無調法だ。それにばば様のこともあるで酒は遠慮しやす」

とやえが丁寧に断った。

「ばば様じゃが、どんな具合じゃな」

「船に乗せていただいたでだいぶ楽じゃと申しております」

玄米が炊き上がったか、匂いが漂ってきた。どうやら大鍋の酒滓汁も出来上がったようであった。

「ばば様は起きてこられるか」

影二郎の問いにやえが首を横に振った。

「ひとりで食すのは寂しいな」

「いえ、私どもがばば様のそばでいっしょに食べます。お許しいただけますか」

「好きにせよ」

やえらは自分たちの玄米としゃけの酒滓汁の椀を船に運び上げていった。

火のそばに残ったのは、影二郎ら三人と船頭親子に栄吉の六人とあかだ。

寒夜に火のそばで食べる酒滓汁はなんとも美味しかった。

「これは昼間のうどんよりも体が温まるな」

「初めて食べますが美味しうございますな」

影二郎とおこまの賛辞に料理番の栄吉はうれしそうだ。

あかもみんなが残したしゃけの骨をもらって大満足だ。

その夜、船には善光寺帰りの女四人とおこま、それに栄吉が寝た。やえらは、

「相乗りさせてもらった私らが屋根の下では申しわけねえ」

と遠慮したが、

「病人のばば様を外に寝かせられるものか」

と影二郎らが火のそばで合羽や夜具をかけてごろ寝することにした。

おこまが異様な殺気に目を覚ましたのは丑《うし》の刻（午前二時）あたりであろうか。

満天の星が頭上の夜空にきらめいていた。

葦屋根といっても五人の女がその下に寝るほど大きくはない。おこまは栄吉のかたわらの舳先近くに横になっていた。そのおこまから河原の様子は見えなかった。が、焚き火が夜を焦が

しているところをみると、男たちは交替で焚き火番をしているのであろう。

（夢か）

浅い眠りの中、だれかがひそひそ声で話をしているのを耳にしたような気がした。その気配に殺気がこめられていた。それに男の声が混じっていた。

栄吉は船の舳先にまるまって寝ている。

おこまから二間余り離れた葦屋根の下でやえら四人が休んでいた。やえらとおこまの間には船の荷や味噌樽などが置かれてあった。

一見して舳先も艫も眠りこんでいる。

おこまは手近においた荷から連発短筒を探ると懐に忍ばせた。

おこまは寝息を立てる振りをしながら、じっと時がくるのを待った。だが、なんの変化も起きる気配はなかった。

（旅の疲れに悪い夢を見たか）

おこまは再び眠りに落ちていた。

伊那谷は谷というよりも天竜川の両岸に開けた小盆地、旅行く人の気持ちをおおらかにしてくれる。

権十の船はまだ薄暗い朝まだきに流れに乗った。

信濃十五宿に数えられた宮田宿の家並みがすぐに見えてきた。

「権十、宮田宿の名物はなんじゃな」

この朝、権十の持ち場の艫近くに座った影二郎が物知りの船頭に聞いた。そのかたわらには喜十郎とおこま親子にあかが控えていた。

「見てくだせえよ、なんといっても残り雪の駒ヶ岳のお姿が宮田宿の見物じゃな」

「駒ヶ岳は伊那谷の見物、宮田宿だけのものではあるまい」

「南蛮の旦那、桜の季節に天竜下りの船から見る宮田宿は伊那谷一の見物じゃな。桜と家並みと残り雪を抱いた駒ヶ岳。風でも吹いてみなせえよ、花吹雪が舞ってなんとも気持ちがいいだ」

「おお、それは見物であろうな」

「松尾芭蕉とかいわれる俳句の宗匠《そうしょう》がさ、宮田宿の桜を、としどしや桜をこやす花のちり、と詠んだそうな。極楽がこの世にあるとしたら、宮田宿の桜の季節じゃな」

夜が明けて、昨日泊まるはずの上穂宿が見えてきた。すでに遠くの野良では百姓衆が働いていた。

「旦那、ここいらは人家が少ないで盗人街道とよばれたところだ」

権十にいわれてみれば、上穂宿もまばらな家並みで宿を過ぎると人家はほとんど見えなかった。生来、伊那街道は中山道の脇往還、大名行列の通行もなく、宿場に本陣や脇本陣がおかれるところは少ない。昼なお寂しい街道が伊那街道であった。

主船頭の権十が助船頭の蚊六のいる舳先へと走っていった。

「影二郎様……」

おこまは昨晩の胸騒ぎを話してみた。

「そなたも気付いておったか」

「とすると夢ではないので」

「何者かがわれらのそばに寄ってきたのは確か。ただな……」

と小声で言った影二郎は小首を傾げた。

「あかがなぜ鳴こうともしないのか。不思議ではある」

「そうでございますね」

「だれぞがそのうち化けの皮がはがれようぞ」

喜十郎はただ黙って二人の会話を聞いている。

「旦那、次の片桐宿あたりでちと早いが昼にすべいかねえ」

朝めしを抜いての船旅だ。舳先から持ち場に戻ってきた権十がいうと、

「栄吉、昼は甲州名物のほうとう鍋じゃ」

と炊き見習いに出る少年に命じた。

飯島宿を出た天竜川は伊那街道が見えなくなるほどに離れた。山が河原に両岸から迫り、峡

谷から雪解け水が流れこんできた。

あたりが暗くなった。

「嫌な感じにございますな」

喜十郎が刀を引きすえながら影二郎を見た。

「盗人街道名物の山賊でもお出ましかな」

あかが唸った。

「影二郎様、父上！」

おこまが天竜川に流れこむ支流の一つから二隻の船が漕ぎ出されてきたのを見て叫んだ。白い装束は山伏姿にも見える。

「権十、伊那谷の山賊か」

「いやさ、秋葉参りの講中船だ。心配ねえよ」

天竜川沿いの春野村の秋葉神社は鎮火、防火に御利益《ごりやく》がある神様として駿州《すんしゅう》、信州、遠州一円、さらには関東でも信仰されていた。

室町時代の山伏加納房によって創建されたとされ、徳川家によって朱印を受けた。天保の時期も秋葉代参講はひろく農村に広まっていた。

その秋葉参りの講中船は並走するように権十の船に迫ってきた。

「なんだか急いでいやすねえ」

権十は後方を見ながら、いぶかしげに首をひねった。

講中船は疾風《はやて》のように接近してきた。

一隻の船には十人余りの山伏たちが黙念と分乗していた。

「喜十郎、おこま、ちと不審じゃな」

影二郎は南蛮外衣を手元に引きすえた。

「竹槍を持っておるように見受けられますぞ」

喜十郎が警告の声を発すると自らも弓を手にした。

「やえ、そなたらは葦屋根の下に頭を下げて夜具をかぶっておれ」

影二郎も相乗りさせた四人の女たちに命じた。

「影二郎様、伊丹主馬のかたわれに指揮されているようにございますな」

おこまの声に二隻目の船を見ると白装束の中に黒染めの虚無僧が一人、船の中央に座していた。

「ついに舞々の無左衛門が現れおったか」

権十の船の後方半丁のところに無左衛門らの船が舳先を並べて迫ってきた。

「権十、なんぞ策はあるか」

影二郎の問いに、

「旦那、ここから半里ばかり下りやすとね、両岸が切り立って狭い田切の瀬がございますよ。

その瀬に誘いこんで一隻ずつ料理しなさらんか」

権十は二隻に左右から挟まれることを恐れていた。

「よかろう。船はそなたと蚊六に任せた」

「合点承知だ」

そう答えた権十は舳先の倅に、

「田切の瀬に一気に下れやあ！」

と命じた。

「皆の衆も船から振り落とされねえように船縁につかまっていてくだせえよ」

権十の叫びに船足が一気に早まった。

追走する船もまた速度を増した。

菱沼喜十郎が弓に弦を張って、矢を手にした。

権十の船と追跡する船の間が一気に縮まった。

「蚊六、流れを上手に読まんかい！」

権十が蚊六に怒鳴ったが、追いこす船は権十の船よりも船幅が細くて船速が早い。

さらに両船の間合いが狭まったとき、後続の船から竹槍が投げかけられた。だが、急流に乗って飛ぶように進む船上から投げられた竹槍は勢いを失い、流れに落ちた。

喜十郎が胴の間に片膝をつくと弓を構えた。

影二郎とおこまが喜十郎の体を支えて安定させた。

満月のように引き絞られた矢が天竜川の飛沫を割って飛んだ。

矢は追跡する船の舳先に立つ助船頭の胸を貫いて流れに転がした。

追走する船の舳先が大きく左右に揺れて叫びが上がった。

「やりなすったね！」

権十が歓声を上げて、見る見る後続する船を引き離しにかかった。

「田切の瀬までもうすぐだぞ、南蛮の旦那！」

だが、舞々の無左衛門が乗る船は素早く態勢を立て直すとさらに間合いを縮めてきた。

二隻の船は並走して権十の船に接近し、左右から挟み撃ちにする気だ。

喜十郎が弓の狙いをつけようとすると追跡する船から竹槍が何本も飛んできた。その一本が葦屋根に刺さった。

「やえ、大丈夫か」

影二郎が振り向くとやえたちは夜具をかぶって伏せていた。

ぱらぱらと飛来する竹槍に喜十郎も矢を放つ間がない。

「左手の船が接近しやすぞ！」

権十の声に影二郎は竹槍を船縁に構えて投げかけようとする船を見た。

舞々の無左衛門が乗る船とは別の船だ。

「権十、田切の瀬はまだか」

「あと一息だ、旦那」

影二郎はかたわらに飛んできた竹槍を摑むと、権十に向かって飛来する竹槍を払い落とした。

喜十郎もおこまも栄吉も飛んでくる竹槍を避けるのに必死だった。

また両船の距離が縮まった。

あかが異様な鳴き声を放ったのはそのときだ。

影二郎は飛んできた竹槍をはたき落とすと、あかを振り見た。

葦屋根の下に寝ていたはずの女たちがいつの間にか巫女《みこ》装束に着替えて、片手に直刀《ちょくとう》をもう一方の手に鈴を振りならして、栄吉とおこまに襲いかかろうとしていた。

顔は善光寺参りの善女から鬼女に変じていた。

両眼は血走り、口は裂けていた。

「三右衛門が喋った主馬一行の別動組とはそなたらか、化けの皮が剝がれおったな。腰痛などを装ってわれらに近付いてきたときからうさん臭いとは思っていた」

鬼女やえは腰を抜かした栄吉の眉間に直刀を振り下ろそうとした。

影二郎は一文字笠の骨の間に差しこんだ唐かんざしを抜き打った。

両刃のかんざしは飛沫の上がる虚空を飛んで、やえの喉首に刺さり、その反動で飾りの珊瑚玉がぶるぶると震えた。

鬼女やえは気丈にも珊瑚玉を摑むと胴の間に抜き捨て、直刀を構え直した。

「夏目影二郎、許さぬ！」

影二郎は揺れる船上を走ると、やえの直刀を持つ右手の肘を抜き差しにした法城寺佐常の一閃で両断した。

「げえっ！」

やえは両断された右腕を抱え込むと船縁から急流に転落して消えた。

おこまを襲ったのはばば様だ。

「死ねえ！」

直刀を振りかざすと身軽にも中空に飛び上がり様、おこまの頭上を襲った。

おこまは両手で構えた連発短筒の撃鉄を起こした。だが、狙いをつける余裕などない。

頭上に大きく広がった巫女衣装のど真ん中に向かって引き金を引いた。

轟音が天竜川に轟《とどろ》いた。

おこまの視界に白い巫女衣装がぱっと赤く染まったのが見えた。

ばば様の体が虚空で傾き、渦巻く流れに落下していった。

おこまは必死で銃口を回した。

残る二人がおこまを襲おうと立ち上がった。

その瞬間、舞々の無左衛門の乗る船の舳先が権十の船の船尾に伸《の》しかかるようにぶつかってきた。

衝撃に船が大きく傾いだ。

同時に巫女二人も体の均衡を失って流れに転落していった。

さらにまた危難が船上を走った。

「南蛮の旦那よ、講中船の方が足が早いだよ。このままだと転覆させられるぞ！」

権十が悲鳴を上げた。それでもしっかりと櫓は保持していた。

「待て！」

影二郎は南蛮外衣の片裾を左手に摑むと舳先をぶつけるように突っこんでくる船との間を計った。

両の裾には二十匁（七十五グラム）の銀玉が縫いこんであった。

影二郎はその片裾の銀玉を握って待った。

巫女の攻撃を防いだ喜十郎とおこま親子はもう一隻の船の攻撃からの防戦に神経を移していた。

「権十、竹槍じゃ！」

影二郎が叫ぶと同時に竹槍が権十に向かって投げられた。

南蛮外衣が疾走する船上に帯のように長く舞い上がったのはその瞬間だ。緩やかに旋回した黒と緋の帯は船と船の間を飛来する竹槍を払い落とすと、さらに円弧を描いて伸びていき、竹槍を投げた山伏の眉間を叩き、首に巻き付くとたちまち二人の仲間を流れに転落させた。

「親父、田切の瀬に入るぞ！」

蚊六が舳先から叫び、権十の船は勢いよく虚空にはね上がると次の瞬間には流れに叩きつけられていた。

舞々の無左衛門の乗る船から一斉に竹槍が投げられた。が、上下に激しく揺れる船からの投げ槍では狙いは定まらない。竹槍は流れに消え、絶壁にあたって落ちた。

喜十郎は片膝をついたまま、刀の柄《つか》に手をかけて待機していた。

おこまは片手で船縁を摑み、もう一方の手で連発短筒を摑むと膝の上に置いていた。もはや射撃どころではない。

「舞々の無左衛門だな！」

急流のぶつかる音を割って、屹立した影二郎から声が飛んだ。左手一本で手元に引き寄せた南蛮外衣を捨てた。

虚無僧が天蓋を脱ぎ捨てると流れに投げた。

「そなたの処断は浅草弾左衛門どのから、この夏目影二郎が申し受けた。覚悟せえ！」

にたりと笑った無左衛門は尺八を持つ手を振った。すると無左衛門の船の舳先が権十の船尾に激しく衝突してきた。船が大きく傾き、艫から権十が胴の間に転がり落ちてきた。

「野郎！」

左右にぶれる船を助船頭の蚊六が必死で制御した。

権十が動き回る櫓に取りついた。だが、船尾をあおられて船は左右に傾いて、岩場に激しく船腹をこすった。

影二郎は右手の先反佐常をしっかりと握り締めると、後方から襲いくる船の舳先をただ見ていた。

権十の船を飲みこむように舳先が大きく接近してきた。

衝撃に権十の船が弾んだ。

瞬間、影二郎は船が上下する反動を利して虚空に身を跳ばしていた。

流れるように下る両船の間を跳んだ影二郎は、無左衛門の船の舳先にあざやかに跳び移っていた。

山伏たちが護り刀を抜く暇もない早業《はやわざ》だった。

影二郎の先反佐常が右に左に振られると山伏がひとり二人と流れに落下した。

影二郎に舞々の無左衛門が尺八を投げつけた。

飛来する尺八を躱した影二郎は法城寺佐常二尺五寸三分の切っ先を無左衛門の胸に突き付けた。

無左衛門も脇差を抜いて、脇腹に保持した。

弾左衛門は無左衛門が匕首使いの名人と注意してくれた。だが、影二郎にはそのことを脳裏に描く暇はなかった。

無左衛門も無鉄砲に飛び乗ってきた影二郎の胸板を抉《えぐ》ることだけを考えて揺れ動く船上を走った。

薙刀を刀身に鍛《う》ち直した剣は、反りの強いことから先反佐常と異名される。

その豪剣が怒りを飲んで弧を描いた。だが、片足の悪い無左衛門は影二郎の予測をはるかに超えて素早く行動した。先反の内側にするりと入りこんだ無左衛門は腰につけた脇差の切っ先を影二郎の腹に突き出した。

影二郎は佐常を手元に引き寄せる余裕はなかった。ただ鍔元で脇差の切っ先を絡めると引き寄せた。そのために切っ先が影二郎の脇腹を抉って流れた。

そのとき、再び二隻の船が田切の岩場でぶつかった。

影二郎と無左衛門は絡み合って胴の間に倒れこむと左右に離れた。その間はわずか半間しかない。

影二郎は先反佐常をようやく左手一本に摑んでいた。

無左衛門の脇差は利き腕の右手にあって、胸前に残されている。

「夏目影二郎、そなたの負けじゃ」

舞々の無左衛門がにたりと笑うと両膝を使ってにじり寄ってきた。

「生死は最後まで分からぬものよ」

脇差を胸前にためた無左衛門が影二郎に必殺の思いで襲いかかった瞬間、僚船が横腹に激突してきた。狭い岩場と急峻な流れに操船を誤ったのだ。

その衝撃に無左衛門の体は宙に浮いた。胴の間にあお向けに倒れたままで、影二郎は左手一本の佐常を虚空に振り上げた。

その切っ先が無左衛門の胸を刺し貫いた。

「ぎえっ！」

一瞬、無左衛門の体が虚空に停止したように見えた。

影二郎は強引に先反佐常を振りほどく。

次の瞬間、切っ先から飛び離れた無左衛門の体は血を振りまきながら、流れに落下していった。

影二郎の体が船縁にぶつかった。さらに反対の船縁に当たった。

田切の瀬を影二郎は船の中でごろごろと転がり回りながら抜けた。

ふいに飛沫が消え、頭上に青空が広がっていた。

船はゆるやかな流れに乗っていた。

影二郎が船の上に身を起こすと船上にはだれもいなかった。

「影二郎様！」

おこまの呼ぶ声に前方を見ると、まるで嵐に遭遇したように破壊し尽くされた権十の船がゆったりと岸辺に寄っていくところだった。

影二郎は後ろを振り見た。するともう一隻の講中船は船腹を見せてぷかぷかと流れに浮いていた。

諏訪湖岸の流《ぐ》れ宿の牛之助親父が天竜下りの船頭では一番の腕と雇ってくれた権十と蚊六親子の腕は確かなものだった。船から河原に飛び降りた影二郎をあかが尻尾を振りながら出迎えてくれた。

四

東海道の浜松宿は江戸から二十九番目の宿場にして、古くは引馬《ひくま》の宿といわれた。古文書には、

〈浜松は十町斗《ばかり》東の松林也。足利義教《あしかがよしのり》富士一見下向の時、彼《かの》松の下にて酒宴し玉ひて、浜松の音はざざんざとうたひ玉ひしより名付《づ》けしと也……」

と改名の由来を告げている。

夏目影二郎、菱沼喜十郎の二人は、井上河内守城下の浜松宿伝馬町の伝馬問屋遠州屋五郎兵衛の荒れた店先に呆然と突っ立っていた。

店から奥へまるで暴風雨が暴れこんだ惨状である。

「どうやら慌てて夜逃げした模様にございますな」

喜十郎が言うと草鞋のままに板の間に上がった。

影二郎も続いて奥の住まいへと歩を進めた。

田切の瀬での死闘の末、影二郎らは船行を諦めた。

権十の船の船底に穴が開き、修理をせねば運航できないことが判明したからだ。

そこで影二郎は権十、蚊六の親子に船の修繕費を贈って別れることにした。

「旦那、牛之助親父には浜松宿まで届けるように命じられただ。こんな様になってすまねえ。船を壊したのはわしらの腕が足りなかったからでよ、修繕の金を受け取れるわけもねえ」

と固辞する親子に、

「そなたらは、無法者が襲ってくるとは知らなかったのじゃ。船を壊したのはこちらの責任、すまなかったな。志じゃ、受け取ってくれ」

と無理に渡した。

「ありがてえ、南蛮の旦那」

と快諾してくれた船頭は、

「この上、頼みごとですまねえが、栄吉を下田湊の近くまで連れていってくれまいか」

「承知した」

田切の瀬に近い飯島宿に二人を残した影二郎らは伊那街道をひたすら南下して、浜松宿に到着したところだ。

土蔵の扉は大きく開かれ、内部は焼かれた痕跡《こんせき》があった。

「影二郎様」

振り向くとおこまが土地の十手持ちらしき老爺を伴い、姿を見せた。

「土地の御用聞き、妻潟《つまがた》の宇吉親分にございます」

おこまは遠州屋になにが起こったか、事情を知る者を探しにいっていたのだ。

「造作をかけるな」

影二郎が老人に声をかけた。

「旦那方はどなたにございますか」

宇吉が影二郎らの風体を訝しく見ながら聞いた。

「勘定奉行所監察方菱沼喜十郎じゃ。江戸は伝馬町の牢屋敷を破牢した伊丹主馬ら一味を追捕する最中にある」

喜十郎が公用の手札を見せた。

「それはご苦労様にございます」

そういうと軽く頭を下げた宇吉が、

「あっしらもねえ、なにが起こったのかさっぱり分からないのでございますよ……」

妻潟の宇吉は庭の上の空を見上げた。

日没には幾分の間がある刻限だ。

「遠州屋五郎兵衛は代々の伝馬問屋でしてね、先代まではしっかりした商いで宿場での人望もございました。それが当代になって、おかしくなりましてね、ええ、よそ者の女に引っ掛かったのでございますよ。それまでおられたお上さんのよしさんを実家に戻して、お竜という年増を奥に入れなすった。それからはふ抜けでねえ、お竜がいなければ、にっちもさっちもいかねえ按配《あんばい》だ。当然奉公人も主を見下し、商いも雑になる。左前になったところにお竜の遠縁と名乗る輿之吉が入り込んで番頭に就きまして、宿場じゅうであれはお竜の昔の間夫《まぶ》、もはや遠州屋も終わりだなんて噂が飛びかったもんですよ」

輿之吉は飛脚の典助の弟だ。

宇吉は、荒れた遠州屋の屋内を哀しげに見回した。

「ところがだ、輿之吉が番頭に就いてあれよあれよという間に遠州屋を立て直した。どんな手妻を使ったんだかしらないが、どこぞから当座の資金を持ってきて、問屋筋の借金や馬方などの賃金の滞《とどこお》りを清算すると、昔からの番頭手代の大半を辞めさせましてねえ、新たな奉公人を江戸から連れてきた。これで遠州屋は昔以上の活気を取り戻しましたよ。ですが、もはや五郎兵衛様はお竜と輿之吉のいいなり、かたちばかりの主でねえ」

「輿之吉が遠州屋に乗りこんできたのはいつのことだな」

影二郎の問いに宇吉は、

「文政が天保（一八三〇）と変わった春先のことでしたねえ」

およそ十年前のことだ。

「わっしらは商いのことは分からねえ。が、遠州屋が生き返ったのは確かなことだ。主の五郎兵衛様をないがしろにして、お竜と輿之吉が店のことも主の寝間も二人が好き放題って噂は耳に入ってきましたがねえ、輿之吉は使うべきところにはちゃんと金を使いまして四の五のは言わせません」

「遠州屋は昔から道中奉行の鑑札をもらっていた伝馬問屋であったか」

勘定奉行監察方の菱沼喜十郎が問うた。

「へえっ、遠州屋は浜松宿でも古い商人でしてね、何代も前から道中奉行の御用を務めておりましたよ。一度左前に成りかけたころ、鑑札のお召し上げがなされるなんて話もありましたがねえ、商いを盛り返してからは、そんな話もどこぞに消えましたっけ」

妻潟の宇吉は、腰をぽんぽんと叩いて言い出した。

「旦那方に見てもらいてえものがございます。ご案内いたしましょうか」

と荒れた庭から裏の木戸を潜り、通りに出た。

右手には浜松城が西日を受けてそびえていた。

見附宿からの東海道は天竜川の川渡しを越えると、浜松城下の神明町の三差路で西から南に大きく曲がった。すると南下する道の両側には連尺町、利町《とぎ》、伝馬町、大工町、旅籠町、本魚町と町家が連なり、成子坂町へとつながっていた。

影二郎らは宇吉に案内されて城への道を戻った。

見附宿に向かう東海道だ。

「ここを入りやす」

宇吉は神明町の先で東へ折れこんだ。

神明町の路地に入ると肴《さかな》町と町名が変わった。

宇吉は大安寺という破れ寺の前で足を止めた。

庭の奥に人の気配がしていた。

「むかしは立派な寺だったそうですがねえ、おれっちのがきの時分から荒れて、今じゃあ住職もいねえ破れ寺だ」

影二郎が山門脇の碑文を読むと、延喜《えんぎ》（九〇一～九二三）年間創建、とあった。

「悪童どもが今日の昼過ぎに寺に潜りこんで遊んでいるうちに、ええものを見つけましてねえ」

「小僧さんと犬はここで待ってねえ。見てもおもしろいもんじゃねえからね」

栄吉とあかを山門に止まるように命じた妻潟の宇吉は、影二郎ら三人を崩れかけた山門から寺内へと導いていった。

本堂の裏手が竹藪になってその前に倒れかけた墓石が並んでいた。

「親分」

見張りをしていた若い三下のひとりがほっとした声を上げた。

「お役人は戻られましたぜ。この仏、どうしますねえ」

墓の真ん中あたりで土饅頭が崩れて大きな穴を見せていた。幅は六、七尺、深さもそれくらいはあった。

穴の底に羽織を着た男の死体が一つ転がっていた。うつぶせに寝ていたが白髪や首筋の感じから初老の男と知れた。

「遠州屋五郎兵衛ですよ。心の臓を一突きにやられてましてねえ、痛みも感じねえ間にあの世にいったことはたしかだ」

影二郎は穴のそばに転がっている鍬《くわ》と戸板を見た。

「仏は自分の墓穴を掘らされていたようだ」

と宇吉は見ていた。

「ならばなぜ土をかぶせていかなかったのだ」

影二郎の問いに、

「だれぞ邪魔が入ったか、そのへんがはっきりしませんでねえ」

と妻潟の親分が首を捻った。

「遠州屋の檀那寺《だんなでら》はここかな」

「通りのむこうの鴨江寺《かもえ》でしてねえ。こんな破れ寺に埋められる筋合いはないのだがねえ」

「お竜と輿之吉らはどうしたな」

「そいつの行方が知れねえんで……」

宇吉は困ったという顔を影二郎らに向けた。

「そこで旦那方だ。なにかご存じのようだねえ」

菱沼が妻潟の宇吉だけを子分たちから引き離した。

「妻潟の親分、この事件は、浜松宿だけでは解決つかぬものじゃ……」

菱沼が当たりさわりのない程度に江戸の伝馬町の切放に始まる一連の事件を老練な十手持ちに話して聞かせた。

「……なんてこった。遠州屋は十年前から始末される運命《さだめ》にあったようですねえ」

と感想を漏らした。そして子分たちが不安そうに待つ穴に視線を向けて、

「旦那、あの穴は五郎兵衛が始末された後に埋められる穴じゃねえ。街道筋で摘発された禁制品を金に換えて隠しておいた穴ですねえ」

と言い出した。

影二郎らは、五街道から上がる没収された禁制品は江戸の内藤新宿の金峰伊丹に送られて換金されていたと考えていたから、宇吉の考えには、はっとさせられた。

「くすねた金を隠していたかどうか。ともあれ墓穴ではなさそうだな」

影二郎が答え、

「親分、お竜と輿之吉らが逃亡したあてはまったく摑めないか」

と聞いた。

「野郎どもは仲間の知らせに旦那方の追跡を知って慌てて逃げ出した。それも空身《からみ》じゃねえ。となると陸路か海路か。今晩一晩、宇吉に時間をくれませんか。東に行ったか、西に走ったかくらいは暴き出してみせます」

「よかろう」

と頷いた影二郎らに、

「旅籠町の外れに七軒屋という安直な宿がございます、旦那方のように犬連れにはうってつけの宿でしてねえ。そこで会いましょうぜ」

そう言い残した妻潟の宇吉は、子分たちに、

「戸板に仏を載せろ」

と怒鳴った。

七軒屋は妻潟の宇吉の手先儀助の実家で、旅の商人などが泊まる旅籠だった。

親分の紹介だ。影二郎らは二階の八畳間を四人で占拠することになり、あかも土間の片隅に寝場所を作ってもらった。なににしても奥秩父や諏訪宿に比べれば、日差しが違う。明るい

上に暖かい。

それでも七軒屋の階下の板の間には大きな囲炉裏があって、泊まりの客たちが集まっていた。

影二郎は囲炉裏端に座すと酒を宿の主に頼んだ。

遠州灘であがった桜えびを肴に地酒を菱沼喜十郎おこま親子と酌《く》み交わす、なににも増して楽しみであった。

栄吉は夕げを前にしてあかをつれて散歩に出た。

「なんでも遠州屋の旦那が殺されたって話じゃないか」

と囲炉裏の向こうで言い出したのは風体からして街道を行き来している馬方のようだ。

「若い上さんに骨抜きにされていたからねえ。殺されないまでも半分死にかけていたのは確かだぜ」

相棒が応じた。

「いやさ、それより遠州屋のお上さんと番頭が手に手をとって夜逃げしたって話だぜ」

「旦那を殺して逃げたのかえ」

「おおっ、夜の務めが役立たずってんでよ、番頭と逃げたのよ」

「それにしても殺すこともあるまいに」

「旦那がよ、おれも連れていってくれと泣いてすがったから、くびり殺されたって話だ。女は夜叉《やしゃ》だねえ」

浜松宿の殺しは無責任にも人々の話題になっていた。

「影二郎様、残るは宇都宮宿にございます」

おこまが小声で言った。

五街道から上がる禁制品をくすねてきた伝馬問屋で生き残っているのは日光道中と奥州往還の追分宿、宇都宮だけだ。

「伊丹主馬らは江戸を経由して宇都宮に向かうのでございましょうかな」

喜十郎も言い出した。

「伊丹主馬に鼠の久六、お竜に輿之吉ら何人かが荷を持っての道中だ。大井川の渡しや箱根の関所を考えると、陸路とは思えぬな。海路《かいろ》か、荷運び組と宇都宮組に分かれたか。われらの知らぬ隠れ家も用意しておろう」

「それにございますよ」

三人には答えが出なかった。

あかの吠え声がして栄吉が散歩から戻ってきた。

「栄吉さん、ほれ、火の端《はた》においでなされ」

おこまがかたわらに座を作って誘った。

栄吉は諏訪宿からの天竜下りの冒険行にすっかりと影二郎の一行に溶けこんでいた。

「諏訪が大きい宿場と思ったら、浜松も大きいですねえ」

と栄吉は東海道の往来にびっくりした様子だ。

「これから廻船に乗られるのです。いろいろな人や土地に出会いますよ。まだまだめずらしいことがたくさん待ってます」

「おこまさんも知らない土地がありますか」

「ありますとも。浜松宿も初めて訪ねました」

そんなところにめしが運ばれてきた。

遠州灘で採れた蒸鰈《むしがれい》の焼き物が皿に乗っていた。

内陸の諏訪に育った栄吉は、愛嬌《あいきよう》のある鰈に目を丸くしていた。

蒸鰈は冬から春に移りいくことを告げる魚だ。

「食べてみよ」

影二郎の言葉におずおずと手をつけた栄吉が、

「おいしいです」

と笑みに顔を崩して叫んだ。

翌朝、七軒屋に妻潟の宇吉親分が姿を見せた。

明け六つ（午前六時）前のことだ。

宇吉の顔には疲れが濃くこびりついている。それは徹夜でお竜たちの行方を追っていたことを表していた。

「舞坂宿にいっておりました」

と妻潟の宇吉がいった。

「伊丹主馬の一行に合流したお竜と輿之吉らは舞坂宿へ脇街道を通って走り、浜名湖の弁天島沖に待たせていた五百石船に乗って逃げた模様にございます」

宇吉はお竜らを取り逃がしたことにがっくりと肩を落としていた。

「舞坂は前坂とも書す。いにしえは舞沢、あるいは舞沢松原といふ。南は大洋《おおうみ》にして三洲地《みすち》より豆州下田まで海上七十五里（三百五キロ）、これを遠江灘《とおとうみなだ》といふ。荒井よりの渡し船、舞坂に着岸する……」

図会《ずえ》は説明する。

浜松宿から浜名湖東岸に面した舞坂までおよそ二里三十丁（およそ十一キロ）であった。

「一行の人数は分かるか」

「伊丹主馬らしき侍と小男、輿之吉、お竜の他に遠州屋の番頭手代、用心棒の五、六人の男ということで総勢十人ほどと思えます。五百石船の信州丸は、数日前から弁天島沖で待機していた模様で、この近くでは見かけられない船にございます」

「乗ったのは人間だけか。それとも荷があったか」

「夜明け前のことで見た者も多くはございません。そう大荷物があったとは思えないという話ですよ」

妻潟の宇吉は土地の代官所に顔を出して、指図を仰ぐという。

「世話になったな、われらはこれから舞坂宿に出向いてみる。伊丹らの乗った船がどちらを目指したか、なんとか探ってみよう」

「西町の渡し場にわっしの子分の儀助と新三が残してございます。気がきかねえとは思いますが手足代わりにはなりましょう」

宇吉はそういうと七軒屋から早々に姿を消した。

「栄吉、そなたが向かう下田湊からは段々遠のくが浜名湖まで一緒せえ。われらも東へと引き返すかもしれんでな」

栄吉はどこかほっとした顔で頷いた。

乗り組む菱垣廻船の下田到着までまだ日数もあった。


内海のように広がる湖は浜名湖という。

「浜名は郡名。国号遠江も此湖水に基《もとづく》也。一名猪鼻《いのはな》湖、または遠湖ともいう……」

古文書は浜名湖のいわれをこう説く。

影二郎ら一行が舞坂から対岸の新居宿に出る渡し船の船着場に到着したのは昼前のことだ。

それを目敏《めざと》く見ていた妻潟の親分の手下儀助と新三の二人が、

「やっぱり来なすったか。親分の推測どおりだぜ」

と迎えた。

「親分はなにもいわなかったが、お見通しか」

影二郎らは実直そうな老十手持ちの顔を思い浮かべた。

「なんぞ分かったか」

「五百石船の行き先は豆州下田湊ですぜ」

「ほお、下田湊な」

栄吉が廻船に乗りこむ湊町だ。

「信州丸の水や食べ物を弁天島の船問屋がはしけで運んでいるのですよ。そのとき ね、炊《かし》きが、下田が次の湊だと喋ったようなんで」

影二郎が栄吉を見た。

「栄吉、そなたを下田湊まで送っていくことになりそうじゃな」

「これからもお侍さん方とご一緒できるんですか」

とうれしそうだ。

「おお、どこぞで下田行きの船を見つけることになりそうじゃ」

「ならばお侍、弁天島の船問屋、浜松屋を訪ねなせえ。あそこには西に向かう船も東に行く船も必ず立ち寄りますでな」

「妻潟の親分に礼を申してくれ。必ず興之吉とお竜の始末はつけて、子細は知らせるとな」

「へえ、旦那方も気いつけていきなされ」

儀助と新三に別れを告げた影二郎らは湖岸沿いに弁天島を目指した。

第五話　遠州灘翻弄《えんしゅうなだほんろう》

一

弁天島に浜伝いに向かう一行の上に春うららの日差しが落ちていた。

浜名湖の微温《ぬる》む水にあかも興奮したか、湖水に足を浸して歩いていく。

「信州とは光がまるで違います」

新春の陽光に諏訪育ちの栄吉の顔にも笑みがこぼれる。

そのむかし、舞沢のほとりから浜名の橋まで松林が続いて、浜名湖は大洋《おおうみ》から隔絶《かくぜつ》されていた。

それが明応《めいおう》七年（一四九八）八月二十四日の大地震で、

「湖と潮《しおうみ》とのあいだがきれて海とひとつに成て入海となる。これを今切という……」

（図会）になってしまったのだ。

影二郎らが目指す弁天島も明応の大地震で大石ケ崎の先端部が分かれて、大小七つの島になったものだ。

そこで舞坂から新居への渡しは外海からの波浪を警戒して、湖中に数万本の杭を打ち立てて表弁天島と裏弁天島の小水路の間を通行した。

目指す船問屋の浜松屋は表弁天島にあった。

「ちと尋ねたい」

菱沼喜十郎が身分を名乗って船頭たちに指図していた番頭に声をかけた。

荒《あら》くれどもを相手にしてきた番頭だ、語気も荒く、威勢がいい。

「勘定奉行所のお役人がなんの御用ですかえ」

浪人者、旅芸人、子供に犬連れの不思議な一団を番頭は奇異な目で見回した。

「こちらが信州丸なる五百石船に水、食料を売ったというでな」

「妻潟の宇吉親分のお調べの一件ですね。親分にお話しした以上のことはなにも知っていませんぜ」

番頭の顔にはっきりと迷惑と書いてあった。

「弁天島沖に数日前から待機していたというが、水夫《かこ》たちは島に上がらなかったか」

「いやさ、それだ。ひっそりとしたものでな、買い物も通りがかりのうちの小船に銭を先渡しで頼みなすったのさ。それで紙に書いてあった品を揃えて釣り銭といっしょにうちの者が船の炊《かし》きに届けただけだ。荷も船から吊り上げたそうな」

「炊《かし》きが次の寄港地は下田湊と話したというではないか」

「下田湊で品揃えると、どこの船問屋がいいかとうちの者に聞いたのさ」

「どこと答えたのかな」

「白浜屋だねえ」

「下田湊まで何日で走れるかな」

「遠州灘、駿河灘《するがなだ》と七十五里は横切っての航海だ。風具合で三日で突っ走れるときもありゃあ、風待ち風待ちで十数日もかかることもあらあ」

「風しだいか」

影二郎が口をはさんだ。

「そういうことだ、お侍」

と頷いた番頭が、

「初めての弁天島に潮加減を見ながら、今切口を抜けてきた信州丸には達者な腕の船頭が乗りこんでいますぜ」

といい足した。

喜十郎が影二郎を見た。

「われらも下田行きの船を探そうか」

「お役人方も下田湊まで追っていかれるのかい。弁天島に寄る船は荷船だ、船頭への鳥目《ぜに》しだいだな」

船主や荷主には内緒の小遣い銭稼ぎというのだ。

「相場はいくらだ」

影二郎の問いに番頭が、

「四人に犬一匹となるとかさみますぜ。まずは五両……」

「犬まで一両か」

「下田まで十日もかかってごらんな。四人前の飲み食いだけでも大損だ。ともかく船の船頭にあたってみられることだ」

仕方あるまいと影二郎は懐の財布を引き出した。が、道中で思わず費消して三両二分に小銭が残っているばかりだ。

「これはしまった」

影二郎は喜十郎を振り見た。

「それがしも奈良井宿での旅で使い、小粒が数枚……」

勘定奉行所の下僚の公用旅だ、諏訪出張に持たされた金の額は知れていた。

おこまは、

「私の旅は稼ぎ旅、小銭があるばかりですよ」

と情けないことになった。

三人分の懐を合わせても五両に満たない。かりに下田湊に到着したとしても伝馬町の牢を抜けた伊丹主馬らの追捕旅は続けられそうもない。

「どうしたもので……」

喜十郎が困惑の体でつぶやく。

「まずは江戸へ飛脚便を立てて、援助《たすけ》を願おうか」

「すぐには間に合いませんぞ」

「ともかく船にあたってみるのが先じゃな」

「二手に分かれますか」

三両ほどで下田湊まで便乗させてくれる船探しを菱沼親子が担当することになった。

影二郎は浜松屋の近くの一膳めし屋で勘定奉行常磐豊後守秀信に宛てて、浜松宿での探索の結果と窮状を書き述べ、下田湊で金を受け取りたいと願う手紙を書くことにした。

手紙を書き終えた影二郎は、

「栄吉、舞坂宿の飛脚屋まで使いしてこい。継飛脚にて江戸の勘定奉行所まで送ってくれとなんとか頼んでこい」

となけなしの小判を二枚持たせた。

継飛脚は幕府の公用便というべきもので江戸、京都間を普通便で四十五刻（三日と十八時間）ほどで走った。

舞坂宿から江戸までおよそ六十八里（二七二キロ）、二日もあればなんとか着こう。

江戸から下田湊に為替《かわせ》が着くのが三、四日かかるとみても、六、七日後には金が届く算段だ。だが、これはあくまでこちらの心積もり、六、七日後に金を手にする保証はない。だが、今はそれしか方策を思いつかなかった。

栄吉があかを連れて表に飛び出していった。

影二郎は小女に酒を頼んだ。

冷や酒を一合ほど飲んだとき、喜十郎とおこまが戻ってきた。

「影二郎様、三両にてわれら四人を便乗させる船はなかなかございません。五両どころか七両、八両と足下を見まする」

「父とも話したのですが、船にて追跡されるは影二郎様おひとり。残ったわれらは陸路を急ぐということでは参りませぬか」

船に弱いおこまはその方法を強く勧めた。

「ただ今、栄吉に継飛脚を伝馬屋まで届けさせた。下田湊に辿りつけばなんとかなろう。どうせならそなたらともども一緒に行きたいものじゃがな」

「さてそれは」

とおこまが言いかけた時、

「そなた様らは下田湊に海路でいかれる気か」

という声がかかった。

振り向くと髭はぼうぼう、袖無しに褌姿も煮しめたようなむさい姿の老水夫《かこ》がめし屋の隅で独り酒を飲んでいた。

「話は聞かれたようじゃな。四人連れと犬一匹、昨日の未明に弁天島を発って下田湊に向かった五百石船を追っておる。じゃがな、持金が底をついた」

「いくら持っておる」

「飛脚便に使ったで三両を切っておる」

「もらおうか」

老人が手を出した。

「そなたは船頭か」

「おおっ、阿波から江戸にな、藍玉《あいだま》を運んでおる。昨晩、水夫どもが船を降りて姿を消しおった。残ったのは船頭のわしと古参が二人ばかりでな」

「なぜ水夫は逃げたな」

「人使いが荒い、それに給金が溜まっておる」

老人は平然という。

「逃げられても仕方ないな」

影二郎は笑うともなく聞いた。

「そなたは船頭か」

「おお、生まれついての船頭じゃ」

「われらを水夫代わりに使って海に乗り出す腹づもりか」

「まあ、そんなところ」

「そなたの船で下田湊まで何日かかるな」

「並に走れば五、六日はかかろう。じゃが、わしも先を急ぐ、下田湊まで突っ走ってもよいぞ。風具合じゃが、この分なら二、三日で着く」

栄吉があかを連れて戻ってきた。

飛脚便は二両で頼めたという。

影二郎と菱沼親子の所持金集めて二両と二分と小銭になった。

「この子は下田湊で回船の炊《かし》きとして乗り組むことになっておる。炊きの腕は確かじゃ、われらも精々働くで二両でどうじゃ」

「二両か。まあ、浜松屋がなんとかうんという額じゃな。わしの飲み代はそっち持ちじゃぞ」

老船頭は強欲なことを言った。

「そなたの名は」

「追風《はやて》の陣右衛門」

おこまから二両を受けとると、

「おい、酒をくれ」

と陣右衛門はまず酒を頼んだ。

影二郎らは残った金でめしを食し、あかに煮《に》鰯《いわし》の頭と骨を上げた。

「いつ出船《しゅっせん》するな」

「潮が満ちてこなければ今切口は越えられねえよ。夕刻には引き潮に乗って遠州灘に出られよ
うぞ」

陣右衛門は四人を連れて浜松屋に戻ると二両を先程の番頭に渡した。

「おお、おまえ様たちは追風の船に乗りなさるか。そうじゃな、あんたらが乗れるただ一隻の
船かもしれんて」

番頭が笑った。

「追風どのは浜松屋にだいぶ借金があるとみえるな」

「先代からの付き合いでしてね。それじゃなきゃあ、米、味噌、薪《まき》も渡しゃしないのだがね」

番頭は影二郎の問いに嘆いてみせた。

「番頭どん、風向きが変わることもあらあ。追風の陣右衛門が新造の千石船の長《おさ》でもなってみ
ねえ、浜松屋の借金などすぐにも払う」

「その前に酔いくらって海に落ちないことだよ」

番頭は悪たれをつきながらも、小僧たちを指図して陣右衛門の船の食料などを揃えてくれた。

「番頭、追風の船はどんな船だ」

「見ればわかるさ」

「父上……」

おこまが不安そうな声を上げた。

「天竜下りでも生き残ったわれらじゃ、なんとかなろう」

「じゃがな、お役人、追風の腕は一級だ。まず摂津《せっつ》、江戸でも追風にかなう者はいない。おまえさん方も間違いなく下田湊に辿りつけるぜ」

口の悪い番頭に見送られて、影二郎らは陣右衛門に従った。

影二郎も栄吉も浜松屋からの荷を担がされて浜を歩いていった。

「あれがわれの讃岐丸《さぬきまる》じゃ」

と見せられた一行はしばらく言葉もなかった。

藍玉が船倉一杯に積まれているのだろう。喫水《きっすい》線ぎりぎりに沈んだ二百石ほどの船が内海にかろうじて浮いていた。それは大洋《おおうみ》を航海する船とも思えないほどに小さく、古びて見えた。

船体は黒染み、修理の箇所は数えきれないほどあった。畳んで下ろされた木綿帆にも継ぎ布が何箇所もあてられていた。

「あれで遠州灘を渡るので……」

おこまは呆然として絶句した。

栄吉も言葉を失っている。

「浜松屋の番頭の言葉を信用するしかあるまい」

影二郎は、追風の陣右衛門よりもはるかに甲羅《こうら》を経た船の手入れが、実に細かくされていることを見ていた。

「権造、茂十、食い物が入った。水夫も三人ばかり雇ったで夕暮れには帆を上げるぞ」

陣右衛門の声に姿を見せたのは陣右衛門より年を食った老いぼれ水夫二人だ。

「追風、別嬪《べっぴん》乗せて海神様が怒るめいか」

老いぼれ水夫がおこまを見て、にたにた笑った。

「そんときゃ、遠州灘に放りこめ、権造じいよ」

と陣右衛門が怒鳴り返す。

「影二郎様、私は東海道を行かせてもらいます」

「水夫の悪態は挨拶じゃ。心配いたすな」

おこまは決心したように、それでも怖《お》ず怖《お》ずと讃岐丸に乗りこんだ。

「おい、小僧。おめえに味噌、米は預ける。下田湊までなんとか按配せえ」

栄吉は廻船で炊《かし》き見習いをやる前にいきなり一人前の炊きとして働かされることになった。

「わたしも栄吉さんを手伝うわ」

おこまも覚悟を決めたか、三味線や荷を下ろすと栄吉と一緒に炊き部屋に消えた。

「侍《さむれえ》ふたりは、権造じいの命に従え」

影二郎も喜十郎も刀を外して尻をからげ、

「あれやれ、これやれ」

と次から次へと命じられて出船の準備に奔走《ほんそう》させられた。

「出船じゃぞお！」

追風の陣右衛門の声が弁天島に響いた。

夕刻六つ前、内海から今切口に藍玉を満載した讃岐丸はゆっくりと進む。

その刻限、影二郎らは甲板にへたりこんでいた。

舵《かじ》と帆は影二郎らでは扱えない。さすがに追風ら三人の老いぼれ水夫《かこ》どもはおんぼろの讃岐丸を扱うこつを熟知していた。

「なんとも無駄がございませぬな」

おこまも嘆息するほどの息の合いようだ。

「旦那方、大洋《おおうみ》に出るとゆれるでよう。今のうちに夕めし食らってしまえ！」

陣右衛門が命じた。

栄吉とおこまが造った初めての炊き料理は、遠州灘で採れたさわらをぶつ切りにして野菜と煮込んだ汁に麦めし、山盛りの漬物だ。

「人使いは並ではない。ここで腹ごしらえしておかんと下田湊まで体がもたんぞ」

影二郎らは夕刻の光に茜色に染まった浜名湖の風景を見る暇《いとま》もなく、汁とめしを漬物でかきこんだ。

「栄吉よ、火の始末を確かめろ」

影二郎らが早めしを終えた刻限、追風の船頭が艫から命じた。

「へえっ」

栄吉がすっとんで炊き部屋の竈《かまど》の火の始末を確かめる。

種火は壺にいれて竈のかたわらに揺れても大丈夫なように固定した。

「船頭さん、大丈夫ですぞ」

「よおし、今切口にかかるぞ！」

追風の声に影二郎らは遠州灘に目をやり、言葉を失った。

満ち潮に浜名湖へ入りこんでいた大量の海水が引き潮の刻限に一気に大洋に戻ろうとしていた。今切口に膨大《ぼうだい》な海水が殺到していく様は、諏訪湖から天竜川へと雪解け水が流れこむ光景の何百倍もの恐ろしさであった。

「これは……」

さすがの影二郎も息を飲んだ。

海水の奔流は圧倒されるばかりで、神聖とも荘厳《そうごん》とも形容できた。

船に弱いおこまも恐怖を忘れて、ただ展開される自然の猛威《もうい》に立ち尽くしていた。

「なんでもええわい、しっかり摑まっておれよ！」

主船頭の追風の声に四人と犬一匹は艫櫓《ともやぐら》の下に一塊《かたま》りになり、柱や横木に摑まった。

あかが一声小さく鳴いた瞬間、讃岐丸の舳先が影二郎らの頭上に上がっていた。

「ああっ！」

おこまの口から悲鳴が漏れた。次の瞬間には舳先が波間に飲みこまれるように沈降して影二郎らは波の奔流を眼下に見ていた。

膨大な海水が狭い今切口でぶつかり合う響きは影二郎らがこれまで経験してきた、どんな音にもまして恐ろしげに響き合う。

小さな讃岐丸を飲み尽くすように轟音が次から次と襲いかかってきた。そして讃岐丸は今切口にひしめき合って雪崩《なだれ》こむ海水に高く低くもまれつつも確実に遠州灘へと出ていった。

ふいに讃岐丸は物静かな海に出ていた。

影二郎の目に海上に浮かぶ三日月が見えた。

おこまが青い顔をして弾んだ息を静めようとしていた。

「なにをしておる、侍、帆を張る手伝いせんかえ！」

艫櫓から陣右衛門の怒鳴り声が響いて、影二郎、喜十郎、栄吉は権造と茂十の下に走った。

帆柱の頂きに打廻しと蟬から成る移動滑車が付いていて身縄がかけられ、帆柱下に畳まれた木綿帆が身縄を引くことで帆柱へと上がっていった。

「それっ、腰据えて引かんかえ！」

陣右衛門の叱声に影二郎らは必死で身縄を引いていく。

すると帆桁《ほげた》が上がっていくにつれ帆が広がり、風を孕《はら》んだ。すると身縄に力がかかってびくとも動かなくなった。

「陸《おか》で暮らしていると力も出んかえ、しっかり働け。働かんと遠州灘にたたき込むぞ！」

影二郎らは渾身《こんしん》の力をこめて身縄を引き上げた。

「茂十、権造、手縄を操《あやつ》らんかえ」

大きく広がった帆桁の左右に手縄がついていて、帆の角度を調節できるようになっていた。

その手縄を操作して風を効率よく受けるように調節できるのだ。

権造と茂十のおいぼれ水夫ふたりが身軽にも走り回って、継ぎはぎだらけの木綿帆が満帆《まんぱん》に張られた。

讃岐丸は月光をうけて遠州灘を快走し始めた。

「客人、ようやった。思ったより使えるわえ。われら讃岐丸の水夫にならんかえ」

艫櫓で舵柄を握った陣右衛門が豪快に笑った。その右手には大徳利が握られて、うまそうに飲み干す。

ふえっ、と大きなげっぷを一つした陣右衛門が仲間二人に、

「今のうちにめしをかっ食らえ」

と命じた。

二百石のおんぼろ船では陸岸の風景を目標に航海する沿岸航法が主であった。だが、追風の陣右衛門は最初から夜の遠州灘の奥へと乗り出して、磁石と星を頼りに帆走の速度を換算しながらの、天文航法である。

永年の経験と優れた勘がなければ、讃岐丸は一転大洋の奥へ奥へと流される可能性もあった。

影二郎は艫櫓に上がり、陣右衛門のかたわらに座した。すると追風の船頭が手にしていた徳利を差し出した。

「溜まった賃金も受けとらず逃げ出した水夫《かこ》の気持ちがよう分かったわ」

酒を一口飲んだ影二郎の言葉に陣右衛門が豪快に笑った。

「近ごろの水夫はやわでいけねえ。給金が遅いだの、めしがまずいだのと半人前のくせして小言が先じゃ」

陣右衛門は影二郎から徳利をとると、

「おめえさん方のほうがなんぼかましかもしれぬ」

と働きを褒《ほ》めてくれた。

「ところでなんであの五百石船を追っていなさるね」

「追風は見たのか」

「一行が乗り組むところですかえ。年寄りは朝が早いや、しっかりと見ましたぜ。侍に商人とおめえさん方同様に怪しげな一団だったぜ」

影二郎はふと老船頭に経緯を話してみる気になっていた。

炊《かし》き部屋の前では栄吉とおこまがふたりの水夫の食事の面倒を見ていた。

「あやつらの首魁は江戸の伝馬町の牢屋敷を切放を利して逃げた者だ……」

陣右衛門は舵柄を片手に握りながら、その間にも夜空の星を、風向きを、帆の孕み具合を確かめつつ影二郎の話を聞いた。

「なんと陸の人間は姑息《こそく》なことを考えるものよ」

それが海で生きてきた老船頭の感想だった。

「やつらは下田湊を経由して奥州へ逃げるといいなさるか」

「伊丹主馬らの最後の拠点が日光街道と奥州往還の分岐《ぶんき》、宇都宮宿だ。おそらく江戸を避けて宇都宮に直行していよう。それもこれも下田湊で調べてみなければ分からぬがな」

陣右衛門の下に栄吉が夕げを運んできた。

「栄吉、よう働いた。廻船に乗り組んでも手を抜くじゃねえぞ。海は正直だ、しっかりと働きぶりを見てござるでな」

「はい」

その返事は素直だ。栄吉もうす汚れた格好の老人の力が並でないことを察知していた。

「わしのめしは灘の生一本《きいっぽん》じゃ。漬物《こうこ》だけおいておけ」

汁とめしは栄吉に下げさせた。

「宇都宮に急行するには下田湊から大島の北を小湊、銚子沖《ちょうしおき》と伝って那珂湊《なかみなと》に着くのがなんといっても早い」

影二郎は冬の那珂湊に国定忠治一行を追って旅した二年半前のことを思い出していた。

「下田湊で那珂湊行きの船を見つけられようか」

陣右衛門はにやりと笑い、

「蝦夷《えぞ》に荷を運ぶ弁済船《べざいぶね》がいよう。それもこれも金次第じゃ」

と言った。そして、

「信州丸の船頭が陸伝いに走っているのなら、讃岐丸のほうが二日ばかり早く下田湊に着こうぞ」

と確信を持って言い切った。

二

影二郎は陣右衛門の酒と仕事ぶりに付き合いながら、おこまが持ってきてくれた南蛮外衣にくるまって夜を過ごした。が、いつの間にか寝入っていたらしい。目覚めると讃岐丸は大海原を快走していた。

「影二郎様、お天道《てんと》さまが上がりますぞ」

おこまが水押《みよし》から呼びかけた。

舳先に菱沼とおこま親子が立って、太陽が昇るのを見ていた。

栄吉は朝の支度をすでにしていた。

影二郎は艫《とも》櫓を下りると水押に歩いていった。するとあかが尻尾を振ってついてきた。

「あか、どうじゃ、船旅は」

川船の旅は何度となく経験してきたあかだが、海は初めてだ。

水平線から真っ赤な日輪が上がってきた。

影二郎らは海に上がった太陽に旅の平穏を祈った。

「船旅日和《びより》じゃな」

影二郎が権造に言うと、

「さてな、先程から風が変わった。昼過ぎから荒れようぞ。せいぜい今のうちに手足を休めておけ」

と老いぼれ水夫が予測した。

おこまが不安なまなざしを艫櫓に向けると、舵柄は茂十が握り、徹夜で起きていた陣右衛門は仮眠していた。

讃岐丸は遠くに御前崎《おまえざき》を望遠して遠州灘から駿河湾に入っていった。

権造のご託宣《たくせん》はあたった。

昼ごろから遠州灘は大きくうねり始め、二百石のぼろ船を大きな波がもみしだいた。

栄吉とおこまは火が使えなくなることを考え、朝のうちに握りめしを用意していた。

おこまは昼めしを食するどころではない。藍玉が積まれた船倉の一角に横になって青い顔をしていた。そのかたわらにあかも従っていた。

「栄吉、おまえはどうじゃ」

影二郎の言葉に栄吉は、

「陣右衛門様の腕を信用してますよ」

とにこにこと笑った。

夕刻前、風が不規則に舞い、雨も降り始めた。

陣右衛門は主帆を半分まで下ろさせた。

補助帆を担当する茂十に細かく指示を出しながらに、うまく風を捕らえて讃岐丸は荒れる海を走り続けた。

日没後、さらに風雨が強まった。

風は不規則にも荒れ模様に讃岐丸の船尾から吹きつけた。

「客人、追風の陣右衛門の由来が分かったか」

陣右衛門は海が荒れれば荒れるほど意気盛んになった。次々に老いぼれ水夫《かこ》たちに命じて帆綱の張りや船の走り具合を調節した。

その度に影二郎らはふたりの水夫に怒鳴られながらも、縄を引き、縄を緩《ゆる》めて走り回った。

さらに讃岐丸の傾きが激しく、大きくなった。

今や半分ほどの高さに下ろした木綿帆を吹き千切らんばかりに風が吹きつけていた。

大波は今にも縮帆したぼろ船を飲みこみそうだ。それに速度が早過ぎる。

「茂十、艫から重し代わりに柱を流せ！」

陣右衛門の命に太縄を端に結わえた柱を船尾から海中に落として、讃岐丸の船足を弱めた。

ますます風雨は強くなっていく。

夜半、陣右衛門はついに、

「帆を下ろせ！」

と木綿帆を納帆することを命じた。

雨と波に濡れた主帆は重く、帆柱下に巻きこむのは至難の業であった。だが、老いぼれ水夫と素人水夫の五人はようやく納帆に成功した。

今や讃岐丸は補助帆を張る弥帆柱《やほばしら》も下ろして潮流と風に乗って疾走していた。

ずぶ濡れになった影二郎たちは、ただ船の常夜灯の明かりがわずかに浮かび上がらせる海面を見やりながら、夜が明けるのを待った。

わずかに海上が白んできた。

「だいぶ東に流されたな」

陣右衛門はそうつぶやくと、

「あと一刻（二時間）ほどで風も雨も静まろうぜ」

と言った。さすがに老船頭は伊達《だて》に年は食っていなかった。

太陽が波間に姿を見せた時、まず雨が上がった。そして徐々に風が収まっていった。


駿河湾の白波の立つ向こうに富士が姿を見せた。

おこまが青い顔で船室から上がってきた。

従うあかも船酔いの様子で腰が定まらない。

「いつ下田湊には着くのですか」

「姉さん、見ねえ、かすんで望めるのが石廊崎《いろうざき》だ。あの鼻を回れば下田湊じゃ。夕暮れ前には着こうぞ」

追風の陣右衛門の言葉でおこまの顔に生気が浮かんだ。

その日、影二郎たちは風雨に濡れた木綿帆と格闘して半日を過ごした。

讃岐丸が最後に揺れたのは石廊崎を回る時だ。

「おこま、海の藻屑《もくず》と消えることなく下田湊に上陸できそうじゃ」

讃岐丸は船名幟《のぼり》をばたばたとはためかせながら、和歌の浦を回り、犬走島をかすめて下田湊へと入っていった。

影二郎らは湊内に信州丸の姿を探した。が、どこにも見えなかった。

「信州丸が陸地伝いを選んだとすれば、わしらが先に着いたということじゃ」

陣右衛門がいい、聞いた。

「わしらは外海は抜けた。下田湊から江戸までは三人で行けよう。客人たちはどうするな」

「なんにしても先立つものがない。江戸から為替が着くのをこの下田湊で待つことになりそうじゃ」

讃岐丸は弁天島から下田湊間七十五里を二日二晩で走破したことになる。

影二郎らは今晩一晩泊まって明日には江戸に向かうという追風の陣右衛門らに別れを告げると下田湊に上陸した。

「流れ宿を探そうか」

浅草弾左衛門が支配する流れ宿に拠点を定めて、江戸から金が届くのを待つことにした。

「影二郎様、流れ宿に厄介《やっかい》になったとしても酒を贖《あがな》う銭もございません。船では役立たずのおこまでしたが、ここは陸にございます。四竹節で一稼ぎいたしましょうか」

「ならばわれらも客集めを手伝おうか」

湊近くの人の往来が多い辻に立ったおこまが肩から三味線をかけ、両手にした四竹を巧妙に打ち鳴らし始めた。

それは左手と右手の律動と高低が異なり、聞く人の胸を高鳴らせる響きを持って下田湊に流れた。四竹が止むと三味線に変わった。

「あーい、さても下田の皆さま方よ、しばし独り四竹節の拙《つたな》い芸を聞いてくださりませぬか。江戸深川にては四竹節、花の遊里の吉原にては川竹節とも申します……」

おこまの曲弾きが始まった。独りで四竹と三味線、その間には喉がくわわってのものだ。影二郎らが客寄せをする手間などいらぬくらいに人の輪ができた。

栄吉が影二郎の一文字笠を借りうけ、客の間を回った。すると銭が投げ込まれ、中には一朱金（銭二百五十文）まで混じっていた。

港町は人情と気っ風がいい男たちが生きていた。

「どうやらわれらの出番はなさそうじゃ」

見物の輪の外で影二郎が菱沼喜十郎に言うと、

「おこまの母親は芸事が達者な女でしてな。裁縫《さいほう》よりも熱心に教えこんだものが、このようなかたちでお役に立とうとは考えもしませんでした」

と父親が苦笑した。

「喜十郎の内儀は町家の出であったか」

亡くなったおこまの母親について聞いた。

「苦界に身を沈めた女でしたが、出は氷の浪人暮らしの娘でしたよ」

喜十郎は遠くを見るまなざしを見せた。

「なんと……」

「ええ、萌様と同じような途《みち》を辿った女にございます」

喜十郎は萌と重ねて、初めて自分の過去をちらりと語った。

見物の輪から喝采《かっさい》が起こり、一場の芸が終わったようだ。

人の輪が消えて、栄吉とおこまが二人の男たちのそばにきた。

「おこま様はすごいよ。一人であっという間に一分と二朱、それにこれだけも銭がある」

と栄吉が稼ぎを差し出して見せた。

「場所を換えましょうか」

おこまが言い出したのを影二郎は、

「酒代ならば十分じゃぞ」

その影二郎の目は軒を並べた船問屋の看板を見ていた。

そこには白浜屋と豆州黒潮屋とあった。

白浜屋は信州丸が立ち寄る可能性のある店であり、豆州黒潮屋は栄吉が菱垣廻船を待つ船問屋であった。

その視線に気付いた喜十郎が、

「おこま、本業に戻ろうか」

と言った。

白浜屋の店先に立った影二郎は、浜名湖の弁天島からの五百石船信州丸がすでに到着したかと聞いた。

「はて信州丸なんて船に付き合いがありましたか」

番頭が首を捻り、事情を説明した影二郎らに、

「いや、うちには顔を出されませんな」

と言い切った。

影二郎が白浜屋を出ると、栄吉の顔に不安がにじんでいた。

栄吉が乗り組む菱垣廻船とは、下田湊の豆州黒潮屋で落ち合うことになっていたからだ。

「栄吉、ついていってやる。そなたの船がどうなったか聞いて参れ」

「はい」

影二郎に付き添われた栄吉は諏訪宿から背の荷物に大事に終いこんできた紹介状を手に黒潮屋に入っていった。

「小僧さん、どうしなすった」

黒潮屋の半纏《はんてん》を着た手代が栄吉に聞く。

「兄じゃに代わって炊き見習いで働くことになりました諏訪の栄吉にございます。お船は摂津から到着しましたでしょうか」

「おおっ、橋太郎の弟か」

紹介状を受けとった手代が読み下し、言った。

「龍神丸が下田に入るのはあと十日はかかろうぞ。うちの二階で寝泊まりして待つかえ」

「手代さん、諏訪から同行してきた者じゃが、われらが下田にいるうちはわれらと一緒に過ごしてもよいか」

「それは栄吉しだい、好きにしなせえ」

栄吉の顔に笑みが戻った。

「今一つ、頼みがある。数日内にも常陸《ひたち》の那珂湊に直行する船に大人三人と犬一匹が乗り込みたいのじゃが、船頭を紹介してもらえまいか」

影二郎の頼みに手代が、

「ないこともないが、金がかかりますぜ」

「相分かった。数日うちにも江戸から為替がつくで金も用意できよう」

「ならば待ちなせえ。ところでお侍方は下田へは船できなすったか」

「藍玉船の讃岐丸に同乗させてもらってな」

「なにっ、追風の船に乗ってきた。栄吉、炊きの真似ごとをさせられたか」

「真似ごとどころか、陣右衛門からどこの船でも一人前の炊きとして務まるとお墨付きをもらったわ」

「ほお、あの追風が褒めた、それはめずらしい。いい炊きになれような」

手代が笑った。

黒潮屋の手代に教えられた流れ宿《ぐ》に向かう影二郎はまとわりつくような視線を感じてあたりに気を配ったが、それらしき様子はない。

前方にはあかが先に立ち、おこまと栄吉が談笑しながら稲生沢川《いのうざわ》を屈託なく上がっていく。

「久し振りに土を踏んで勘が狂ったのでありましょうかな」

喜十郎も感じていたらしく影二郎に囁いた。

「下田湊に待ち受けるものがあるとしたら、信州丸の一行じゃがな」

だが、その信州丸はまだ下田湊に姿を見せてないのだ。

「海の上と陸地では勝手が違うでな」

その話はそれで立ち消えになった。

老爺とばば様が宿主の流れ宿《ぐ》は、稲生沢川のほとり、蓮台寺《れんだいじ》温泉外れにあった。

影二郎らが二、三日厄介になりたいと浅草の頭から贈られた一文字笠を示すと、老爺が頷き、

「好きにしなせえ、風に吹き飛ばされそうな小屋じゃが、河原に温泉が湧《わ》くのが名物だ。お侍方もまずは足を濯《すす》ぐ代わりに汗を流しなさらんか」

と勧めた。

仕切りもない露天風呂、おこまは日が暮れてからにするという。喜十郎も一服して入るというので、影二郎と栄吉が河原に下りることになった。

腰の法城寺佐常をおこまが受けとった。

影二郎は手にした一文字笠と肩にかけた南蛮外衣はそのまま湯まで持っていくことにした。おこまがかいがいしく、栄吉に手拭《てぬぐ》いと着替えの褌を持たせた。

小屋から河原に細い石段が続いていた。

あかが先頭で河原に下りた。

温泉の煙りが稲生沢川の流れの一角から立ち上っていた。

流れの端に石を小積んだだけの温泉である。

「影二郎様、気持ちがいいよ」

先に湯に浸かった栄吉が喜声を上げた。

影二郎は一文字笠を裏に返すと、南蛮外衣を畳んで衣服の上においた。

潮風と風雨にうたれた体を湯につけると、筋肉がばりばりと音を立ててほぐれていくようだ。

考えれば諏訪湖に始まり、天竜下り、浜名湖から遠州、駿河灘と水の難所をなんとか潜り抜けてきた影二郎たちであった。

河原の温泉の湯が溜まった疲れをゆっくりとこりほぐしてくれた。

「影二郎様、陣右衛門様の讃岐丸に乗せていただいて、自信がつきましたよ。諏訪を出るときには海に慣れるかどうか心配で夜も眠れなかっただよ」

「栄吉、そなたならよい水夫になれようぞ」

ふいにあかが薄闇に向かって吠え出した。背の毛も逆立っている。

「栄吉、湯に肩まで浸かっておれ」

影二郎の片手が一文字笠の縁にかけられた。

蓮台寺に来る途中に感じた敵意はどうやらあたっていた。

「夏目影二郎と知ってのことか」

闇に潜む敵意に問うた。

返事はない。

だが、確実に河原の湯をとりまく敵意は膨れ上がって今にも爆発しそうだ。

「栄吉、決して顔を上げるではないぞ」

影二郎はそう命じると、片手を一文字笠の骨の間に差しこんだ珊瑚玉の唐かんざしにおいた。

殺気が一気に破裂して、薄闇が揺れた。すると草鞋履《わらじば》きに道中羽織、一文字笠に背に道中嚢を負った浪人風の剣客五人が影二郎に向かって殺到してきた。

影二郎が唐かんざしを抜き上げると、先頭を走る壮年の襲撃者に投げ打った。

狙いは違《たが》わず右目に突き立った。

足をもつらせた男が河原に倒れた。その体の上を飛び越えて、仲間が殺到してきた。

影二郎の手が南蛮外衣の襟を摑むと捻り上げられた。

湯煙りを裂いて黒羅紗の長合羽が虚空に広がった。

両端の裾には二十匁（七十五グラム）の銀玉が縫い込まれていて、それが遠心力で左右に大きく広がった。すると裏地の猩々緋が湯の上に真っ赤に咲いた。

銀玉は剣を翳《かざ》して殺到した二人の鬢《びん》と首筋を叩いて転がした。倒れこんだ二人は川の流れに落ち、その一人の手から飛んだ剣が影二郎の湯船まで転がってきた。

影二郎は南蛮合羽を捨てると剣を拾った。

残りは二人だ。

真っ裸で抜き身を手に湯船から上がった。

「伊丹主馬はどこじゃな」

影二郎は襲撃者が浜松宿の伝馬問屋に雇われていた用心棒と見た。ということは、信州丸はすでに下田湊近くに到着して、影二郎らが下田に現れるのを待ちうけていたということにならないか。

間合い一間に詰めた剣客ふたりが左右から影二郎を挟んだ。

あかが足下で唸り声を上げている。

「あか、下がっておれ」

と命じた時、

と異様な気配を察知した菱沼喜十郎とおこま親子が剣を手に階段を駆け降りてきた。

「ヒュー！」

対岸から野鳥の鳴き声のような指笛が響いた。

すると残った二人がするすると下がりながら、そのうちの一人が倒れた仲間の首筋にとどめを刺した。

「しまった！」

影二郎の叫びをよそに身を翻して二人が河原から消えた。

襲撃の場に残されたのは唐かんざしを右目に突き立てられ、仲間にとどめを刺された壮年の浪人剣客だけだ。

「ご無事でしたか」

と血相を変えて降りてきたおこまが影二郎の裸を見て、立ち竦む。

「おっ、これは……」

影二郎は湯に入った。

「おい、気をしっかり持て！」

喜十郎が意識を失いかけた浪人の体を抱え、呼びかけた。

翌早朝、菱沼喜十郎とおこま親子は蓮台寺の流れ宿《ぐ》から姿を消していた。

仲間からとどめを刺された剣客は、下田湊の東側に突き出した半島にある須崎湊《すざきみなと》に信州丸が停泊していることを苦しい息の下からようやく告げると息絶えた。

「あの者どもは下田湊に追跡してくるやも知れぬわれらを始末せよと、主馬らに厳命されていたのでしょうな。ともあれ、須崎に行って船が停泊しているかどうか調べてまいります」

影二郎と栄吉はあかを連れて陽が高くなった頃合、下田湊へと下っていった。

湊近くの両替屋に顔を出した影二郎は、勘定奉行所の名を出して江戸から為替が届くのにどれほど日数がかかるか、聞いた。

「そうでございますねえ、お上のご用ゆえに早ようございますよ。それでも三日、天候具合では四、五日かかることもございます」

すでに影二郎の手紙が秀信の手元に届いたと考えても、あと三日から五日は無益な時間を下田湊に過ごすことになりそうだ。

「手間をかけたな」

影二郎らはその足で白浜屋を訪ねた。すると昨日の番頭が影二郎を見て、

「追風の陣右衛門がおまえ様方の力になってくれと言いおいて出帆していきましたよ」

と讃岐丸の出立を知らせてくれた。

「黒潮屋にも頼んであるが、那珂湊行きの船を探しておる」

「そうだそうですねえ、金さえ都合つけばいつでもいってくだせえよ」

先立つものがないのでは戦《いくさ》にもならない。

「三、四日はかかろうな」

「ならば三、四日後においでなせえ」

黒潮屋にも顔を出したが、こちらも昨日の今日では変化がない。

「栄吉、どうしたものかな」

懐にはおこまが持たせてくれた一朱と銭が百文ほどあるばかりだ。

湊で喜十郎とおこま親子の帰りを待っていると海から声がかかった。

「夏目瑛二郎様ではありませぬか」

岸壁に漕ぎ寄ってくる伝馬船《てんません》に塗笠の役人体《てい》の男が立っていた。

そこには伊豆代官にして江川家三十六代目の太郎左衛門英龍《ひでたつ》の番頭の一人、助川半衛門がにこにこと笑いながら影二郎を見ていた。

「おお、そなたは……」

「はい、韮山《にらやま》代官の番頭助川半衛門にございます」

助川は身軽に伝馬船から岸壁に飛ぶと、

「かようなところでいかがなされました」

と聞いてきた。

天保期にあって独創と叡智《えいち》で知られた英龍は伊豆韮山の代官に任じられ、その支配地は武蔵、相模《さがみ》、伊豆、駿河の五万四千石におよんでいた。また剣は神道無念流《しんとうむねんりゅう》を学んで達人の域に達し、書は市河米庵《いちかわべいあん》、絵は谷文晁《たにぶんちょう》に教えをうけた才人でもあった。

影二郎の父の常磐豊後守秀信の屋敷と江川太郎左衛門の江戸屋敷は、深川本所の津軽藩の中屋敷前に軒を並べて親交があった。そのせいで影二郎も英龍と知り合いであり、父の影仕事に初めて服した折りも江川の手を借りて、戸田《へだ》港に国定忠治らを追跡したことがあった。

「下田湊は英龍どのの支配地であったな。そのことを迂闊にも忘れておったわ」

「公務にございますな」

頷いた影二郎は、

「それが手元不如意になってな。父からの金を待っているところじゃ」

と簡単に探索のいわれを話し、窮状《きゅうじょう》を訴えた。

「須崎湊にそのような船がな……」

と呟いた助川は、

「下田番所に行きませぬか。必要な金子《きんす》はすぐにも立て替えます」

と申し出てくれた。

「おお、それは助かる」

影二郎は栄吉とあかを湊に残し、菱沼親子が戻ってきたら、伊豆代官の下田番所に来るように命じると助川に従った。

三

蝦夷に向かう弁才船の上から夏目影二郎、菱沼喜十郎、おこま親子は、下田湊に残る栄吉に向かって、

「一人前の炊《かし》きに、水夫《かこ》になれよ」

「どこぞで会いましょうな」

と別れの言葉を投げた。あかも苦労をともにしてきた少年との別れに悲しげな吠え声を上げている。

「影二郎様、菱沼様、おこま様、あか、栄吉は立派な炊きになりますぞ」

涙を堪《こら》えた栄吉が千切れんばかりにいつまでも手を振っていた。

下田番所に巡察にきていた助川半衛門は、番所の金から五十両を差し当たって貸し与え、秀信が送ってくる金で相殺《そうさい》する手続きをとってくれた上に、白浜屋にも黒潮屋にも同道して、那珂湊へと向かう船を手配してくれた。

下田湊を監督する伊豆代官の番頭の声がかりだ、事は一気に進んだ。またそれに須崎湊に停泊していた信州丸がすでに姿を消していることも、影二郎たちに旅を急がせる要因となった。

助川は湊に出入りする船に信州丸がどちらに向かったかあたってくれた。

その結果、漁船の何隻かが相模灘《さがみなだ》の奥に向かわず、房総半島に向かって直進する船影を見たと証言してくれた。

まず伊丹主馬らは追風の陣右衛門が推量した通りに那珂湊まで船で行き、そこから陸路宇都宮に向かうと考えられた。

影二郎たちも早々に船旅を再開することにした。二日遅れの追跡行だ。

栄吉の姿と声が消え、影二郎らは胸に一抹《いちまつ》の寂しさを感じた。

船は蝦夷地へ下りものを運ぶ千石級の弁才船だ。

追風の陣右衛門のおんぼろ船とは違ったし、伊豆代官所の声がかり、客扱いで働く必要もなかった。

「こうなると追風の怒鳴り声が懐かしいですな」

影二郎の心中を察したように喜十郎がいう。

「那珂湊までなにがあるかわからん。体を休められるうちに休めておこうぞ」

影二郎は与えられた船室に戻るとごろりと横になった。

おこまは戸の隙間から差し込む一条の光が差す床に四竹を並べて立てた。

袱紗《ふくさ》包みから出したのは礼五郎からの短筒の戦利品、阿米利加製の古留止連発短銃だ。

輪胴から実弾を抜くと、四竹から離れた場所に陣取り、両手で保持した短筒の銃口を四竹に向けた。

船が波に揺れて、四竹が倒れようとした瞬間、おこまは引き金を引いた。空撃ちを何度も何度も繰り返す。

おこまは船酔いを射撃の稽古に熱中することで克服しようとしていた。

「おこま、引き金は引くものではない。寒夜に霜が降りてくるように心気を沈めて絞るものよ。弓の離れといっしょじゃ」

道雪派の弓の達人の父が忠告した。

「はい」

おこまが四竹を並べて短筒を構える前に瞑想《めいそう》した。

船旅の間、親子の連発式短筒の射撃訓練は飽くことなく繰り返された。


五日後の夕暮れ前、夏目影二郎らは大きく揺れる漁船上から那珂川河口から流れこむ淡水と大洋の潮が白い波飛沫を吹き散らしてぶつかる光景を見ていた。

あかが陸に向かって遠吠えをした。

「あか、覚えておったか」

影二郎とあかが探索のためにこの地を訪れたのは天保七年の師走《しわす》、雪が降り続く季節だった。

二年半前ということになる。

「そうでしたか、影二郎様もあかも那珂湊をご存じでしたか」

蝦夷地に直行する弁才船から那珂湊に戻る漁船に移乗したのは、信州丸が待ちうけている危険と一刻も早く蝦夷に着かねばならない弁才船の便宜《べんぎ》を考えたからだ。

大洋に鰹《かつお》を追っていた漁船はこの四日ばかり海にいて、湊の様子は知らないという。

漁船がねじれるように揺れると那珂湊の町並みが見えた。

影二郎らは狭い船室に入って、那珂湊への入港を待った。

魚と漁師たちの汗が染みた匂いにおこまがまた気分を悪くしたようで、青い顔でしゃがみこんだ。

影二郎は喜十郎が娘の世話をする姿をほほえましく見ながら、戸の隙間から荒々しくも那珂川の流れ口に突進していく漁船から湊を望遠した。すると那珂川河口近くにかかる木橋下に五百石船が一隻停泊していた。

船名はまだ小さくて読めなかった。

「あれは土地の船か」

影二郎の問いに遠目が利く漁師が、

「違うな、お侍の探している船のようじゃ」

と叫び返した。

湊の入り口を警戒する信州丸の監視方はまさか漁船に乗って那珂湊に影二郎らが現れるとは

考えなかったであろう。影二郎らを乗せた漁船は何事もなく那珂川の河口左岸に造られた港に入っていった。

那珂湊に上がった影二郎らは那珂川河原の流れ宿《ぐ》に顔を出すと親父が、

「夏目様、ひさしぶりでございましたな」

と懐かしげな顔をした。そしてあかに目を転じ、

「おおっ、あの子犬が逞しく育ちましたか」

と頭を撫でてくれた。

流れ宿に泊まっている連中はその日暮らしの旅芸人や担《かつ》ぎ商《あきな》いの貧乏人ばかり、

「ちとそなたらの力を借りたい」

と金を渡して、おんぼろの伝馬船となたね油を買い集めさせた。


この夜、褌ひとつの影二郎は、房州特産のなたね油を詰めた樽を満載した伝馬船を信州丸に漕ぎ寄せた。樽の周りには乾いた藁《わら》や粗朶《そだ》がいっぱい積んである。

信州丸の船頭も水夫《かこ》たちも眠りこんでいた。

影二郎は信州丸の左舷、海から吹きつける風上に伝馬船を繋《つな》ぎとめた。樽の一つの栓を抜くと、舷側にたっぷり油をかけた。残った油を藁や粗朶にも振り撒いた。

仕事を終えた影二郎は水中に体を沈め、ゆっくりと陸地に向かって泳ぎ出した。

河口近くに流れながらも辿りついた影二郎をおこまとあかが迎えた。

信州丸に未だ伊丹主馬、鼠の久六、輿之吉、お竜の四人が乗船しているとは思えなかった。が、確かめたわけではない。そこで一騒ぎを企てたのだ。

影二郎はおこまが渡してくれた手拭いで体を拭いた。

単衣《ひとえ》の着流しの腰に法城寺佐常を落とし差しにして一文字笠を被り、南蛮外衣を肩にかけた。

「親父どののところに参ろうか」

影二郎らが那珂川の岸辺を一丁ばかり上ると、菱沼喜十郎がすでに準備を終えて影二郎の現れるのを待っていた。

喜十郎のいる位置と信州丸との距離はおよそ五十間（九十メートル）余り、左舷下に影二郎が舫《もや》ってきた伝馬船が上下に揺れているのも見えた。

「そろそろ大掃除を始めますか」

片肌脱ぎになった喜十郎が諏訪宿で調達した強弓の弦《つる》をかるく爪弾《つまび》くと立ち上がった。

おこまが火縄の火を掻き立て、喜十郎が差し出す矢先に火を点けた。矢先には油を染みこませた綿がくくりつけてある。

喜十郎は水上を吹く風具合を確かめていたが、火矢を弓に番《つが》えた。

道雪派の名人が引く弓が満月に引き絞られた。

喜十郎の体が塑像《そぞう》のように固まった。

夜の大気が弾け那珂川に弓箭の音が響いた。

火矢が一条の光に円弧を描いて飛んだ。

風の吹きつける水上を見事に飛ぶと、菜種油を詰めた樽に突き立った。

ぱっと炎が上がり、藁が燃え上がった。

さらに喜十郎が次々と火矢を放つと、縮帆した帆が、艫櫓の屋根が、船上に樽を積まれた伝馬船が燃え上がった。

「火事だ！」

「消せ、火を消せ！」

「主船頭、火矢が岸から飛んでくらあ」

「襲撃じゃ、敵襲じゃ！」

信州丸の船上で大騒ぎが起こった。

「た、大変だ！　油樽を積んだ伝馬船が左舷下に繋がれて火を噴いておるぞ！」

「消せ、消すんだ」

「駄目だ、樽に火が入ったよ」

騒ぎは影二郎らのいる岸辺まで伝わってきた。

「樽から火炎が噴き上がりましたぞ」

弓を収めた喜十郎が冷静な声を発した。

信州丸では燃える伝馬船を水面に下ろそうとする水夫たちや矢倉から川に飛びこむ者たちでごった返していた。

「やはり伊丹主馬らはおらぬな、宇都宮に急行したものとみえる」

「では、われらも出かけますか」

夏目影二郎と菱沼親子にあかは、那珂川の岸辺から土手へと上がっていった。


夜旅が明けたのは水戸ご城下を抜けて笠間に向かう道中だ。

さらに笠間稲荷《いなり》の門前町のめし屋で朝めしと昼めしを兼ねた食事をとった一行は、仏ノ山峠を越えて、益子《ましこ》宿まで足を延ばし、街道筋の旅籠に泊まった。

次の日の昼過ぎには夏目影二郎らは宇都宮藩七万七千八百五十石の城下町に到着していた。

天保十年のこの年、宇都宮は肥前島原藩から再びこの地に移封してきた戸田山城守忠温《ただはる》の治世下にあった。

日光道中と奥州往還の二つの街道が分岐合流する交通の要衝を押さえる宇都宮藩は、貧乏大名のさいたるものとして江戸の城中でも知られていた。

宇都宮宿は、将軍家の日光社参道中の宿城として知られ、その都度《つど》莫大《ばくだい》な費用が負担させられた。もちろん社参の度《たび》に幕府からなにがしかの拝借金が下げ渡されたが、それも焼け石に水、社参の度に宇都宮藩の借財は増えたのだ。

この天保期、浪速《なにわ》の商人河内屋勘四郎に負うた宇都宮藩の借財は、元金が銀四百五十三貫（およそ七千三百両）、利息が銀四千三百七十五貫余（およそ七万両）と利息が元金の十倍と莫大なものであった。

「どういたしましょうか」

喜十郎が城下に入ったところで影二郎を窺った。

「ともあれ伝馬問屋奥州屋武太夫の店をのぞいてみようではないか」

伝馬町の中程に、奥州屋を見つけた。

「おお、これは……」

予測とは違った光景に菱沼喜十郎が驚きの声を発した。

奥州屋には何事もなく替え馬や馬方が出入りして、荷が積み込まれ、運び出されて、商いが賑々《にぎにぎ》しく行われていた。

浜松宿の伝馬問屋の遠州屋は慌ただしく店仕舞いした跡を見せていたばかりか、金峰一族とは縁のない主は非情にも始末されていたのだ。それが宇都宮の奥州屋は何事もなく暖簾《のれん》を上げている。

「ちとおかしいな」

影二郎は首を傾げた。

「主馬たちはまだ到着しておらぬのでございましょうか」

「いや、わざわざ那珂湊に船を回した一行が宇都宮に姿を見せておらぬのはおかしい。なんぞ策を弄《ろう》してのことかもしれぬ」

奥州屋と通りをはさんで髪結床《かみゆいどこ》が開いていた。影二郎と喜十郎は船旅に伸びきった髪と月代《さかやき》、髭《ひげ》をあたってもらうことにした。折りよく客もいない。

「私は今宵の旅籠を探してまいります」

おこまは宿探しに出かけた。

「いらっしゃい」

亭主の髪結職人とかみさんが影二郎らの髪を早速にあたってくれた。

あかは心得たもので土間の隅にうずくまった。

「十年も前にご用で宇都宮宿を通ったことがある。その折り見た伝馬問屋とは看板が違っていたように思えるのじゃがな」

女に髷《まげ》を揃えてもらう喜十郎が問いかけると、

「おっしゃられる通り、十年前は陸奥屋さんが伝馬問屋の主でしたよ」

「奥州屋は陸奥屋の親戚筋かな」

「いや、藩のご家中の引きで伝馬問屋の株を買い取られた人でしてね。宇都宮の人ではございませんよ」

「店の表を見ても、なかなか繁盛《はんじよう》のようじゃな」

「武太夫様が働き者でして土地の商人や町役人の方々とも如才《じょさい》なく付き合われましてね。この数年でしっかりと宿場に根を下ろされましたよ」

「出入りの馬方の評判はどうじゃな」

「手当の支払いはしわいという話ですが、なにしろやり手ですからね」

「浪人者などが出入りしていることはないかな」

「旦那方はその筋の方ですかえ」

影二郎の髭をあたっていた亭主が口をはさむ。

「いや、そのような者ではない。街道の噂で聞いたでな」

「いえ、真っ当なご商売ですぜ」

「ただ……」

と女が言いかけた。

「およし、ご近所の噂話をぺらぺらするもんじゃねえ」

亭主が一喝して女房が黙りこんだ。

おこまが三味線を抱えただけの身軽な格好で髪結床に顔を出した。

「あらっ、二人ともさっぱりなさいましたね。私はちょいと一稼ぎしてきますよ」

と言い出し、

「今晩の宿は京町外れの古びた旅籠、下駄屋です。看板が落ちかかってぶら下がってますからすぐに分かりますよ」

とまた姿を消した。

おこまは奥州屋のことを門付《かどづ》けしながら調べる心積もりのようだ。

「おおっ、さっぱりした」

影二郎は心付けを加えて髪結代を女に支払った。

「下駄屋さんなら店を出て二丁も南に下った路地裏の旅籠ですからね」

かみさんが通りまで出て教えてくれた。

奥州屋はと見るとまだ暖簾を掲げて盛業中だ。

二階屋全体が傾きかけた商人宿が下駄屋であった。

おこまのいうとおり木看板の吊し釘が抜けたか、斜めになって風に揺れていた。だいぶ前からのことらしい。

影二郎らが旅芸人の連れと名乗ると鶴のように痩せた主が二階への階段を指して、

「三人の相部屋、左の廊下の突き当たりじゃ」

と教え、犬の面倒みろというのなら、えさ代をいれて五十文と言い足した。

「かまわぬ」

影二郎の返答にあかは土間の片隅にねぐらをもらえた。

部屋は長身の影二郎の髷があたりそうに天井の低いものだった。

「お侍、風呂に入ってくだせえよ。あとになると混みますのでな」

階下から主の怒鳴り声が響いてきた。

「気忙《きぜわ》しいが風呂にするか」

影二郎は一文字笠から唐かんざしを抜くと、結い直してもらったばかりの髷に差しこんだ。

つぶれかけた下駄屋の木風呂はなかなか大きなものだった。

先客は一人、湯気の向こうにひっそりといた。

「じゃまをする」

影二郎の声に先客が湯煙を透かしていたが、

「南蛮の旦那……」

と驚きの声をかけてきた。

影二郎は国定忠治の顔を湯船に見た。

「この前、会ったのも湯であったな」

影二郎は箱根の湯で忠治の待ち伏せをうけたことがあった。

「湯の中はおたがい裸だ、腹蔵《ふくぞう》なく話せるってもんですぜ。もっとも旦那と顔を合わせるなんて考えもしなかったがねえ」

「宇都宮は水戸に近い。水戸様とは未だ昵懇《じっこん》のお付き合いかえ」

影二郎は忠治が水戸学派の巨頭藤田東湖《とうこ》らと組んで、水戸斉昭《なりあき》を押し立て倒幕運動を画策していると睨んでいた。

「そりゃ、南蛮の旦那がかってに考えているだけのことだ」

「そうかねえ」

「そうさ。ところで宇都宮くんだりになんの用事ですえ」

「伝馬町の切放を利して逃げた男を追ってのことだ」

「牢の中に赤猫を入れて切放になったというあれですかえ」

影二郎は関所破りの大罪人に聞いてみる気になった。

「奥州屋武太夫という商人について知らぬか」

「伝馬問屋の奥州屋ですね。あれは余所者《よそもの》でさあ、借財だらけの宇都宮藩の勘定方に鼻薬《はなぐすり》を嗅がせて、伝馬問屋の株を買ったたって噂ですがねえ」

髪結床の女房と同じことを忠治が言った。

「余所者といったが、出は分からぬか」

「甲州者か信州者でしたかねえ」

そういった忠治は手拭いで顔を洗い、

「先に失礼しますぜ」

と浴槽から出た。そしてふいに丸い体に乗った丸い顔を振り向かせると、

「奥州屋には女房持ちじゃあありませんが妾《めかけ》がいましてね。こいつは宇都宮でも知られてね

えことだが、女の父親《てておや》は鹿沼の同業だ。振り駒の八百蔵《やおぞう》といいやしてねえ、小汚ない手で伸し上がった輩でさあ、うちとも因縁がねえこともない。なんぞ都合の悪いことがあれば振り駒が一枚噛んでおりやすぜ」

と言い残して消えた。

風呂場は影二郎と喜十郎の二人だけになった。脱衣場から忠治の気配が消えた時、

「渡世人のようですな」

と喜十郎が聞いた。

「ああ、八州様に追い駆け回されている国定忠治だ」

「なんと……」

八州様とは関東取締出役のこと、勘定奉行支配下にあった。その勘定奉行監察方菱沼喜十郎が絶句して影二郎を見た。

幕府は威信にかけて八州廻りと各地の代官所の尻を叩き、必死になって大戸の裏関所を鉄砲まで持った上に徒党を組んで押し破った悪党国定忠治を追跡していた。だが、忠治には民衆の味方があった。関八州どころか、その領外にも足を延ばして神出鬼没に逃げ回り、今また平然と宇都宮藩城下の商人宿の風呂に独り浸かっていた。

「影二郎様を影仕事に就くように命じられたお奉行の眼力に敬服しましたぞ」

喜十郎が苦笑いして忠治の消えた脱衣場を見た。

その夜、影二郎と喜十郎は囲炉裏端でおこまの帰りを待ったが、おこまはなかなか戻ってこなかった。

「膳も冷えます。先に食しましょうか」

喜十郎が勧めたが影二郎は酒にも箸《はし》にも手をつけようとはしなかった。

五つ（午後八時）を回り、影二郎らの膳だけが囲炉裏端に残っていた。

「ちと遅すぎる」

影二郎は台所にいくと主に、

「親父、忠治はどうしたな」

と聞いた。

「忠治とはどなたのことでございますか」

老いた鶴のような親父が影二郎を見返し、とぼけた。

「風呂であった国定の忠治親分のことさ」

「さてそのような人はうちに泊まってはいませぬがな」

「さようか」

囲炉裏端に戻った影二郎は、

「奥州屋まで様子を見にいって参る」

というと喜十郎も黙って立ち上がった。

奥州屋は大戸を下ろして森閑《しんかん》としていた。静けさの中に緊迫が籠っていた。

あかの背の毛も逆立っている。

「まさかおこまは伊丹の手に落ちたのではあるまいな」

影二郎の脳裏《のうり》には飛驒高山で敵方に捕縛されて半死半生の目に遭ったおこまの悲劇が蘇《よみがえ》った。

喜十郎は小さく舌打ちした。それには娘を案じる父親の気持ちがこめられていたが、

「高山の一件からなにも学んでおりませなんだか」

と喜十郎は敢えて吐き捨ててみせた。

「忍びこむにもまだ時刻が早い。様子を見よう」

影二郎と喜十郎は、先程、髪を直してもらった髪結床と飛脚屋の間の路地に身を潜めた。

二人が身を闇に沈めて半刻（一時間）、道中合羽に三度笠のやくざ者十三、四人が奥州屋の潜り戸から中へ姿を没した。さらに半刻後、あだっぽい女と年配の渡世人が奥州屋へと入っていった。

「やはり動きが出ましたな」

「振り駒の八百蔵と妾の娘親子であろうな」

あかが尻尾を振り回して通りを飛んでいった。

二人もあかに従った。すると奥州屋から半丁ばかり離れた火の見やぐらの下に菅笠を目深に被ったおこまが立って、まとわりつくあかの頭を撫でていた。

「おお、無事であったか」

「心配をかけおって」

「すいませぬ、帰れぬわけがございまして」

二人におこまは謝った。

「奥州屋の前を通りかかりますと、折りよく空駕籠が横付けされてだれかが外出する様子、番頭らの見送りぶりから主の武太夫ではないかと尾行いたしました……」

四

駕籠は伝馬町の通りを東に向かい、田川にかかる宮の橋を土手沿いに数丁も下った。すると川の流れが蛇行して、流れの内側は小さな高台になっていて、板塀を巡らした小粋な家があった。

駕籠はその門前に止まった。

「旦那、待ちますかえ」

駕籠かきの言葉に恰幅のいい中年の男が、

「半刻（一時間）ほど待つことになるがよいか」

と歯切れのいい答えを返した。

「へえ、お待ちいたします」

奥州屋武太夫は無意識のうちにあたりに視線を送った。

おこまはその尖った双眸を土手下から見た。

（さてどうしたものか）

表口には駕籠屋がいた。裏口に回ったが、板塀は高く忍び返しも付けられていた。

おこまが忍びこむ場所に選んだのは田川と敷地の間に塀の下を潜って通じる水路だ。それは田川の水を敷地の池に引きこむためのものだろう。幅も高さも二尺ほどの空の水路には格子が嵌《は》められていたが、おこまが何度か揺すると外れた。

胸に吊った三味線を水路の出口近くの草むらに隠した。懐には袱紗で包みこんだ阿米利加製の連発短筒があった。

水路はおこまの見込みどおりに庭の池に通じていたが、今は堰《せき》が閉じられていた。

小体な家には明かりが点って、

「旦那、気がつきませんで」

と詫びる女の声が聞こえてきた。

「おきち、お父つぁんは鹿沼から来られたか」

「いえ、まだです。でも追っ付け姿を見せましょう」

「皆さんはどうしておられるな」

「はい、旦那様を待っておられますよ」

武太夫と女は明かりが皓々《こうこう》と点った部屋に入っていこうとした。すると伝馬町の牢屋敷を逃げた伊丹主馬と思える一行の姿がちらりと見えた。

「那珂湊の一件の始末に追われて遅れました」

「信州丸は焼け落ちたか」

武太夫に伊丹らしい声が応じた。

「早馬の知らせでは船縁が燃え落ちて、そこから水が入って沈没したそうにございます」

「輿之吉はどうなったな」

「輿之吉は逃げ出しましたが、お竜という女は水死したそうにございます」

「輿之吉さえ無事ならそれでよい」

伊丹の非情な言葉の後、障子が閉じられ、声が聞こえなくなった。

おこまがなんとか座敷の床に潜りこもうと考えた時、表口に人の気配がした。

女が玄関に小走りに向かった。

「お父つぁん、遅いじゃないか。旦那が待っておられるよ」

初老の男が廊下に姿をみせて、庭にやくざたちが入ってきた。

「おい、手筈《てはず》どおりにこの家の内外《うちそと》に見張りにつけ。相手はしたたかな野郎どもだ、気を抜くんじゃねえぞ」

振り駒の八百蔵親分の命令に二手に分かれた渡世人たちが家や庭のあちこちに立って張り番を始めた。

「お父つぁんはどうしますね」

女の声に、

「おれは玄関脇の小座敷に待機していようか」

と長脇差を腰から抜きながら、八百蔵が廊下から消えた。

おこまは水路の中から退くことも動くこともできなくなった。

奥州屋武太夫を迎えた伊丹主馬らとの話はおよそ一刻ほど続いた。

だが、おこまのところからは話し声を聞くことはできなかった。ただ、座敷の緊迫だけが伝わってきた。

ふいに障子が開いて奥州屋武太夫が独り姿を見せ、その背に、

「今晩じゅうにすべてを片付けてくだされよ」

という渋い声が飛んだ。

「承知致しました」

丁寧に答えた武太夫はそそくさとその家を後にした。

さらに半刻（一時間）、障子が開いた感じだ。

おこまは水路から頭を上げたくとも、数間先に見張りの者たちがいて身動きがつかない。

「出立ですかえ」

その者たちの注意が廊下に向かった。

おこまは水路から頭を上げると、伊丹主馬が廊下から玄関へと姿を消すところだった。その後に腰を屈めた小さな体の鼠の久六がちょこまかと従っていた。だが、それは一瞬の間、

「夜旅にござんす。お気をつけなすって」

という振り駒の八百蔵の声に送られて出ていく様子があった。

おこまが水路を外へと戻ろうとした時、また見張りが戻ってきた。

ようやく見張りのやくざたちが消え、最後に女と親分の親子が屋敷を後にしたとき、四つ半（午後十一時）の時鐘は鳴り終わっていた。


「……おこまが忍びこんだのは武太夫の妾のおきちの家じゃな。父親《てておや》が振り駒の八百蔵とか申すやくざ者らしい」

影二郎の言葉におこまが頷き、

「伊丹らの座敷に近付ければ話が聞けたのですが」

と残念がった。

「いや、動きが摑めた」

と答えた影二郎は、おこまが聞いた渋い声、

「今晩じゅうにすべてを片付けてくだされよ」

と命じたものはだれであろうと訝しく思った。そのとき、喜十郎が、

「影二郎様、伊丹らの行き先が分からぬのは、なんとも残念にございますな」

と言い出し、そのことを忘れた。

「ともあれ、これで五街道の伝馬問屋の始末はおよそついたわけじゃ。伊丹が戻るとしたら、江戸か……」

影二郎の脳裏に一つの風景が閃《ひらめ》いた。

「奥州屋武太夫を叩けば、行き先も知れましょう」

喜十郎が影二郎に言い出した。

影二郎は大戸を下ろした奥州屋を見た。店の中では帳簿や書付けの始末が行われているらしく、時折り裏庭から火の粉が上がった。

「振り駒一家の者が抵抗して、奉公人も騒ごう。となれば、譜代《ふだい》の戸田山城守様のご城下を騒がすことになるな」

貧乏大名を抜け出すために老中に昇る運動を山城守は画策していた。できれば騒ぎを起こす

ことなく武太夫に近付きたいものと影二郎は考えた。

「しばらく様子を見た上にしようか」

影二郎が言った時、ひとつの影が店の前に立ち、戸を叩いた。

「あれは……」

菱沼喜十郎が驚きの声を漏らした。

丸い体に古びた三度笠、それにほつれが見える道中合羽に長脇差をぶちこんだ姿は、なんと国定忠治ではないか。

覗き戸が開けられると番頭が顔を覗かせた。

「こちらに鹿沼の親分さんがいらっしゃいますな」

「いえ、そのような方は……」

と番頭が否定するのも構わず、忠治は用件を述べ立てた。

「わっしは通りがかりの渡世人にございます。振り駒の八百蔵親分のお宅へ国定忠治一家が殴りこんだところに通り合わせました。八百蔵親分にはむかし恩を受けましたこともありまして、夜分とは思いましたがちょいとお知らせにあがりやした」

覗き戸をそのままに番頭が奥に消えると、縞の道中合羽の忠治も闇の中に姿を消していった。

影二郎が声もなく笑い、言った。

「忠治に借りができたな」

潜り戸が引き開けられ、番頭と振り駒の八百蔵が姿を見せた。

「おれに恩になったという旅人はどこにいるんでえ」

「今確かにここに……」

ちえっ、と舌打ちした八百蔵が、

「国定の野郎……」

と吐き捨てた。気色《けしき》ばんだ振り駒一家の者たちが潜り戸から通りに姿を見せた。

「野郎ども、鹿沼に急ぎ戻るぜ！」

おきちが飛び出してきて親父の前に立ち塞がった。

「お父つぁん、奥州屋さんもお困りですよ」

「おきち、松太郎たちを当座の用心棒に残してあらあ。おれっちも鹿沼の様子を見たらすぐにも戻ってくる」

風を食らった一団が宇都宮の伝馬町から鹿沼へと走り去っていった。

九つ（深夜零時）の鐘が鳴った。

影二郎たちはさらに一刻（二時間）ほど待って、行動を起こした。

伝馬問屋の造りはどこも似通っていた。裏口に回ると馬小屋があって、馬糞の臭いが漂い流れてきた。

「おれが潜りこもう」

影二郎は喜十郎の肩を借りると板塀を乗り越えた。すると異常に気付いた馬が蹄《ひづめ》で壁を叩いた。

影二郎はそれには構わず庭に飛び下りると裏口の戸の閂《かんぬき》を外した。

喜十郎とおこま親子とあかが入ってきた。

三人は馬小屋のある裏庭からさらに奥に入っていった。

すると店から持ち出された書付けが山と積まれているのが見えた。

伝馬問屋の不正を湮滅《いんめつ》するために処分される書付けだろう。その様子を振り駒一家の松太郎たちが所在なげに見張っていた。

店も奥の住まいもどの部屋も明々と明かりが点って作業が行われている模様だ。

「武太夫に会ってみようか」

「ならば、おこまと二人、あやつらを牽制《けんせい》しておりましょう」

勘定奉行監察方の菱沼喜十郎が目釘を確かめながら言った。

おこまは懐の袱紗包みをほどくと連発式の短筒の銃把《じゅうは》だけを襟口に出した。

影二郎は着流しの肩にかけた南蛮外衣に手をかけると、主の武太夫の住まいと思える方角に歩を進めた。

奥座敷に忍びこんだ影二郎が明かりのこぼれる障子戸の前に立った時、部屋の中からおきちの甘える声が響いてきた。

「旦那が江戸に戻られたらおきちはどうなるんですよ」

「ほとぼりの覚める間だ。また戻ってきますよ。宇都宮宿の上がりをそうそうに手放せるものですか」

「でも当分はおきちは独り身……」

「ならば今晩は寝かせまいぞ」

影二郎が障子戸を引くと、紅絹《もみ》の布団が敷かれた部屋で緋色《ひいろ》の長襦袢《ながじゅばん》の女と奥州屋武太夫が抱き合って布団の上に転がったところだった。

影二郎とおきちの目が合った。

おきちが両眼を見開くと、

「だ、旦那……」

と乱入者の存在を告げようとした。

武太夫はおきちの体が硬直したことに異変を感じとっていた。咄嗟《とっさ》に両腕に抱いていた細身のおきちを自分の背後、影二郎の足下に投げると素早く行灯《あんどん》を手で転がした。

油が畳にこぼれて、ぱっと燃え上がった。

さらに武太夫は襖を体で蹴り倒すと隣部屋に転がりこんだ。

「み、みんな、出やがったよ！」

影二郎の足に武者ぶりついたおきちが振り駒一家の用心棒たちに声をかけた。

影二郎はおきちを振り倒すと、布団の上を飛び越えた。

すると隣部屋でも行灯が倒されて障子に火が燃え移っていた。だが、武太夫の気配はない。

影二郎はさらに奥へと踏みこんだ。その足におきちが縋《すが》りついた。

白い寝着を着た武太夫が文箱から異国渡りの連発短筒《たんづつ》を取り出すと、振り向き様に影二郎を撃った。

ダーン！

影二郎は横に身を翻して障子に肩口から飛びこみ、廊下に転がった。

乾いた銃声とおきちの悲鳴が重なった。

「お、おまえさん……」

片肌をはだけたおきちの胸に赤い銃痕《じゅうこん》が花のように咲き、血が噴き出したのを障子の破れから影二郎は見た。

「糞っ！」

武太夫の罵《ののし》り声を聞いた影二郎はさらに雨戸に身を叩きつけると庭先に転がった。

「勘定奉行の犬め、あがくのはそこまでです」

敏捷《びんしょう》にも武太夫は影二郎の動きに従い、一文字笠の骨の間に差しこまれた唐かんざしの飾り玉をつかんだ影二郎を牽制した。

影二郎は庭に転がったまま、動きが取れなくなった。

両者の間合いは四間。

両刃の唐かんざしに手をかけただけの影二郎と、連発式短筒の銃口の狙いをつけた武太夫では、

「勝負は見えた」

かに思えた。

「動くのではありませんぞ」

武太夫はここで墓穴を掘った。

縁側から敷石に身を下ろした。

「糞壺《くそつぼ》に嵌まった野良犬めが……」

武太夫の手の短筒がゆっくり突き出された。

「奥州屋の旦那、覚悟するのはおまえさんだよ」

おこまの声が響いた。

武太夫と影二郎が庭の一角に視線を巡らした。

菅笠に三味線を背中に回したおこまが立ち、武太夫と同じ古留止連発短筒を両手に保持すると狙いをつけていた。

その距離、およそ十数間。

その背後では菱沼喜十郎が振り駒一家の松太郎たちを牽制して、剣を構えていた。

あかも二人の間に従っていた。

「なんとなあ、礼五郎の短筒《たんづつ》がそなたの手に渡っていたか」

そう呟いた武太夫の背後から火が噴き出してきた。倒された行灯の火が屋敷じゅうに回ろうとしている。

武太夫は影二郎に狙いをつけ、おこまは武太夫に銃口を向け、影二郎は唐かんざしの珊瑚玉に手をかけたまま、三竦みになって互いを睨み合った。

「女、おまえの負けですな、短筒の扱いは難しい。異国から渡来の短筒でも十数間もあっては当たりませぬよ」

武太夫が自信に満ちた口調で言い、

「短筒を捨てなされ。捨てねば夏目影二郎を射殺《うちころ》すことになる」

と詰め寄った。

「武太夫、そなたが庭に身を晒した時からすでに負けは見えていた。あか、行け！」

影二郎の命にあかが武太夫に猛然と突進していった。

武太夫はあかに気を取られた。

その一瞬、影二郎がごろりと横に転がると珊瑚玉が飾りの唐かんざしを捻り上げていた。

二つの銃声が重なって響いた。

武太夫の放った銃弾は転がる影二郎の尻の肉をかすめて殺ぎとった。

おこまが撃った一発は、武太夫の左鬢から右の側頭部を貫通して、血の花を射出口にぱっと咲かせた。その眉間には両刃の唐かんざしが珊瑚玉をぶるぶると揺らして突き刺さっていた。そしてあかが武太夫の足首にしっかりと食らいついていた。

奥州屋武太夫はそれでも立っていた。

「どうしてこんなことが……」

血まみれの顔を影二郎からおこまに移すとなんとも不思議そうな表情を浮かべ、前のめりに敷石の上から庭に転がり落ちた。

「すでに勝負はついた。道中方を差配する勘定奉行所監察方の取締まりである。火を消せ、火を消すのじゃ！」

菱沼喜十郎の大声に振り駒一家の松太郎らが逃げ出した。

すると書付けの始末に追われていた奉公人たちが屋敷じゅうに回ろうとする火の消火を始め、ほとんど同時に半鐘が鳴り出した。

「夏目様、怪我は」

おこまとあかが転がった影二郎のところに駆け寄った。

「尻っぺたをかすられただけじゃ。おこま、あか、助かったぞ」

影二郎が感謝の言葉を口にした時、

「影二郎様、この場はそれがしに」

と菱沼喜十郎が出張ってくる宇都宮藩の役人と協力して奥州屋の不正を暴く証拠を差し押さえることを表明した。

その場に影の任務を負った夏目影二郎とおこまが居残っては、事が厄介になるとみたのだ。

「ここは喜十郎に任せ、われらは下駄屋に引っ込もうぞ」

影二郎らは騒ぎに気を高ぶらせて嘶《いなな》く伝馬のかたわらを抜けると裏口から路地に出た。すると表通りでは町火消しが到着した様子があった。


下駄屋の天井の低い部屋で夏目影二郎が目を覚ますと、階下から菱沼喜十郎の声が聞こえた。

障子の向こうはすでに薄暗くなっていた。もはや七つ半（午後五時）は過ぎた刻限か。

影二郎とおこまはあかを連れて下駄屋に引き揚げた。

夜明け前のことだ。

下駄屋の主に無理を言って酒を都合してもらい、二合ばかり飲んだ影二郎は眠りに就いた。

おこまがかたわらの布団に入ったのさえ気がつかないくらいに深い眠りに落ちていた。

（菱沼喜十郎ひとりに働かせたな）

そう思いながら囲炉裏端に行くと、菱沼親子だけがいた。

「ご苦労であったな。始末はついたか」

「はっ、藩の町奉行と勘定方にそれがしの密行を納得させるのに時間を要しました……」

宇都宮藩城下町にいきなり幕府勘定奉行所の監察方が現れて、伝馬問屋に立ち入ったのだから、当然藩の役人は神経を逆撫でされたことだろう。

「ともあれ五街道の伝馬問屋は勘定奉行と大目付が兼務する道中奉行の監督下にありますからな、宇都宮藩としてもそうそう強いことも言えませぬ。それに昼前に城代家老どのの使いが奥州屋にみえて、内々にそれがしに申し出られました」

「ほう、内々の申し出とはなんじゃな」

「奥州屋の一件は、宇都宮藩と道中奉行の共同探索ということにしてくれぬかというわけです」

城代家老としても、城下の伝馬問屋の不正を知らぬ存ぜぬでは、江戸での裁きの時に怠慢の誹《そし》り免れずと危惧した末の申し出であろう。

「影二郎様、それがしの一存ではありましたが、城代家老様の申し出を受けましてございます」

「われらは密行じゃ、それでよい」

影二郎は即座に喜十郎の判断を支持した。

「奥州屋に残っていた金はおよそ五百六十両ばかり、街道で没収された禁制品の書付けなどはほぼ回収してございます。これらは宇都宮藩が保管して江戸で必要とあらば、送る手筈を調えました」

「ようやってくれた」

喜十郎の顔には疲労と満足の表情が漂っていた。

おこまが熱燗につけた銚子を運んできた。

影二郎がまず喜十郎の杯に熱燗を注いだ。そしておこまが影二郎の器を満たした。

二人の男は黙って顔を見合うとゆっくりと飲み干した。

「さて残ったは伝馬町の牢を逃げた伊丹主馬と鼠の久六の始末にございますな」

「この道中双六の上がりは江戸にございますか」

菱沼親子が口々に言い、影二郎を見た。

「伊丹主馬は道中組頭佐竹吉勝を自刃に見せかけて始末したはいいが、これで馬脚を露《あらわ》すことになった。そこで大目付が動いて捕縛して伝馬町の牢に繋いだ……われらは切放を利して逃げた伊丹一党を追って、奥秩父から十文字峠越えをして諏訪宿に走り、天竜川を下って浜松宿ではすっぽかされた。さらには遠州、駿河、房州灘と苦労の航海をした上に今この宇都宮宿でも首魁の伊丹主馬を取り逃がした。おこま、この道中双六は何が狙いじゃな」

「とおっしゃられますと」

「主馬の行動は一見、露見した五街道の伝馬問屋の始末にも見える。あるいは四つの問屋に分散された蓄財金の回収とも思える……じゃが、われらはただとかげの尻尾切りに走らされただけではないのか」

「無駄な旅であったと」

喜十郎が納得いかぬという顔で聞いた。

「無駄とは言わぬ。が、なんぞ狙いがあって引き回されたのではないかと思えるのじゃ」

喜十郎が重い吐息をついた。

おこまがなにかを言いかけて止めた。

「喜十郎どの、おこま、双六の上がりが江戸かどうか帰ってみるしかあるまいな」

菱沼親子が黙したまま首肯した。

第六話　金峰《きんぽう》念仏踊り

一

天保十年弥生《やよい》半ば、旅から江戸に帰着した夏目影二郎は内藤新宿の追分近くにある薬種問屋の金峰伊丹を訪ねて、荒れ放題の店の様子を黙然と眺めていた。

薬種問屋の店には薬の匂いと湿った匂いが混じって漂っていた。

庭から春の光が赤く差しこんでいた。

板の間に薬研《やげん》や割れた乳鉢《にゅうばち》が転がり、土足に踏み付けられた薬袋《やくたい》が散っていた。

薬類は伊丹一族が持ち去ったか、その後に探索に入った勘定奉行所が押収したか、なにも見当たらない。ともあれ金峰伊丹が慌ただしく店仕舞いした跡が窺えた。さらに何者かが店じゅうを繰り返し家捜《やさが》しした痕跡があった。

間違いなく金峰一族が蓄財した不正の十万余両を探し回った跡であろう。

下諏訪宿の伝馬問屋の春見屋は甲州道中と中山道、浜松宿遠州屋は東海道、宇都宮宿の奥州屋は日光道中と奥州往還、これら五街道の御用伝馬宿の地位を利用して、街道で没収した禁制品の大半を横領、ここ内藤新宿の金峰伊丹に送って換金、蓄財してきた、と影二郎は推測してきた。

五街道の起点宿の三伝馬問屋を潰す旅を終えたばかりだった。

その間に金峰伊丹は急ぎ暖簾を畳み、首魁の伊丹主馬を含め、主だった一族は闇の中に姿を消していた。

はっきりしたことはこの十年、横領してきた蓄財金がどこにも残されてなかったことだ。

(どこぞで大きな見落としがあったはず……)

それが不確かに影二郎の胸の奥に燻《くすぶ》っていた。

夕暮れが迫ったのか、差しこむ光が弱くなった。

土間の隅であかが哀しげに鳴いた。

宇都宮から江戸に入った影二郎は板橋宿で菱沼喜十郎、おこま親子と別れ、あかだけを連れて内藤新宿まで足を延ばしてきたのだ。

「あか、どうしたものか」

影二郎をなにかがその場に止めていた。

明かりに代わって忍びこんできた冷気に影二郎は南蛮外衣を身に纏《まと》った。その様子を見たあかが影二郎の足下に丸くなった。

ゆるゆると時が過ぎ、暗くなっていく。

影二郎は店先にあった行灯の油を確かめ、灯心を切って火を点けた。すると小さな明かりは金峰伊丹の荒れようを一層に晒け出し、光の到達しない闇をさらに濃く深いものにした。

あかの背の毛が逆立ったのは四つ（夜十時）の時鐘が鳴り響いた後のことだ。

影二郎も監視する目に気付いていた。

（いや、おれではない。金峰伊丹そのものが監視下にあるのではないか）

影二郎はそう思いつつも動こうとはしなかった。

九つ（深夜零時）過ぎ、影二郎のいる店先に奥の方から新たな冷気が入りこんできた。

「ようやく姿を見せられたか」

影二郎が呟いた。

結城紬の召しものに頭巾を被った武家が独り姿を見せた。その風体と雰囲気は高禄大身《たいしん》であることを示していた。

「そなたは何者じゃな」

頭巾が影二郎の身分を問うた。

「夏目影二郎にございます」

「おぬしが夏目……」

武家の全身に緊迫が走った。

「どうやら大目付秋水左衛門丞様にございますな」

勘定奉行と道中奉行を兼帯する幕府の大目付が自ら登場したことになる。

「知っておったか」

「組頭近石十四郎が率いる一統を天竜河原で始末したのはそれがし」

「やはりな」

「いま一つ判然としませぬのが秋水様の役割、つらつらと先程から考えておりました」

「大目付が五街道を監督するのは当然のことじゃ」

道中奉行職は大目付首席と勘定奉行の兼務である。

大目付は将軍の代理として役職にある大名、旗本を監察する立場にあったから、同じ兼務でも道中奉行に関して勘定奉行加役《かやく》よりも大目付加役が上位とされた。

だが、五街道の駅逓馬《えきていば》、伝馬問屋の監察管理、各宿駅の没収品の処分、帳簿の整理、天災などによる各駅の貸付金の管理など、実務面は勘定奉行加役の道中方が行うのが長年の仕来たりでもあった。

街道の軍団の移動が急務な戦時は別にして、平時の道中奉行差配《さはい》監督は大目付、実務は勘定奉行という分担である。

「とはいえ内藤新宿の薬種問屋を監視されるのはちと訝しい」

「夏目影二郎、そなたは勘定奉行常磐豊後の妾腹《しょうふく》の子じゃそうな」

「調べられましたか」

「幕府要職にある身が妾を持ち、子を生ませたことをとやかくは申さん。じゃが、夏目、そなたは凶状《きょうじょう》持ち、浅草の十手持ちを殺した罪人じゃそうな」

「さて、そのようなことがございましたかな」

夏目影二郎の罪過と遠島申渡しは老中水野越前守忠邦の極秘の命により町奉行所、牢屋敷の御裁き書きからも流罪人人別帳からも抹消されていた。それを知るのは父の常磐豊後守と南町奉行筒井紀伊守政憲《つついきいのかみまさのり》の三人だけだ。

「三宅島遠島を申しつかった者がなぜ江戸市中を自由に徘徊《はいかい》する」

「それがし一向に身に覚えなきこと……」

影二郎は平然と答えると、

「この影二郎が秋水様の御役を推測してみまするか」

「父親の越権によって自由を得た身が将軍家代理の大目付の公務を査定するというか」

「査定ではありませぬ、裁きにございます、秋水様」

「改めて伝馬町に送りこむ前に大目付が聞いて遣わす」

「わが父、豊後守は帳簿を繰ることに長《た》けた人物にございます。父は役所の書類を調べられて、五街道から没収される禁制品の上がりがこの十年余減少していることに気付かれた。幕府公認の開港地長崎ばかりか、西国の各大名方がこぞって異国との密貿易に精を出されていることは周知の事実、それら禁制の物産は年ごとに増えております。ですが、主たる流通の経路の五街道からの摘発は反対に減っている。それはなぜか？　父は腹心の佐竹吉勝に密かに道中奉行道中方に組頭として潜入を命じられた。佐竹はそこで道中方を伊丹主馬なる能吏が牛耳《ぎゅうじ》っていることを知った。伊丹主馬は信州川上村の金峰一族の一人、こやつが五街道の基点宿場の諏訪、浜松、宇都宮の伝馬問屋の株を買い取り、子飼いの者を主や番頭に送りこんで没収品を横領、この薬種問屋金峰伊丹に送って、換金してきた……」

大目付が小さな空咳《からせき》をした。

「秋水様、この十年余に金峰一族と伊丹主馬は十万両余の金子を不正にも蓄財したものと思える。佐竹は捜査の端緒がつきかけたところで伊丹主馬に気付かれて、反対に不正を働いた者という汚名を着せられた上に自刃に追いこまれた。いや、この自殺も見せかけ、実際は強引に殺されたのでございましょう」

「おもしろき話じゃな」

「だが、このような大掛かりな仕事は伊丹主馬などというどぶ鼠だけで出来る仕事ではない。そう、そなたのような道中奉行を兼帯する大目付どのが一枚加わっておらぬと出来ぬこと。父は佐竹吉勝が自刃に見せかけて殺された時、直ぐさまに主馬を捕縛しようとなされた……」

影二郎が秀信に質していないことだった。

が、確信をもって言い切った。

「秋水様の出番でございます。勘定奉行に伊丹主馬の身柄を押さえられないために荒業《あらわざ》を使われた。道中奉行を兼務する権限を使われてすべてを知る伊丹を大目付配下の役人に捕縛させ、勘定奉行から一時的に隔離《かくり》された。さて、伝馬町の牢屋敷に匿《かくま》ったものの、伊丹主馬をどうしたものか、公の裁きの場に出すことはできない。なぜならば、不正の事実を知る勘定奉行常磐豊後守の存在があるからだ。そこで伊丹主馬の牢屋敷からの奪還が敢行された……秋水様、その先はそなたに説明の要はございますまい。金峰一族は子飼いの何人かを牢に送りこみ、赤猫（火）を牢内に放って切放を企て、伊丹一統は故郷の信州佐久の川上村金峰の里に逃げた」

「夏目、破牢した一味を始末して回ったようじゃな」

「短筒の礼五郎、上州浪人常方相左衛門、虚無僧神谷無門こと舞々平右衛門、野州無宿はつの四人は処断致しました。が、肝心の伊丹主馬を未だ取り逃がしてございます」

「それでこのような場所に網を張っておったか」

「思案にくれていたというのが正直なところ……まさか大魚が網にかかるとは思いもしませなんだ」

「尾村眩斎《おむらげんさい》」

と秋水が奥に声をかけた。

すると痩身から血に飢えた臭いを放つ剣客が姿を見せた。

色褪せた羊羹《ようかん》色の袷も野袴も端がほつれ、その腰に塗りの剝げた大小を差していた。

月代にはまばらに伸びた髪が醜く見えた。

尾村眩斎は影二郎から五間ばかり離れた土間の片隅にひっそりと立った。

「夏目、父も子も知り過ぎた」

「それがしと父の口を封じられるか。ならばついでにお役目をお話しなされ」

「そなたはまだ全容を知ってはおらぬわ」

「ございましょうな」

「それがしが大目付に上がったばかりの十余年前、金峰庸左衛門が屋敷を訪ねてきて、遠大な企てを話してくれた。五街道を舞台にした金儲けじゃ。すでに何代も前から道中方に一族の者を入れてあるという……」

「御家人伊丹の株を買い取った主馬の祖父と父親のことですな」

「おお、知っておったか。伊丹主馬が道中方をすでに牛耳っていた。となれば、企てはそう難しいことではない。それがしが協力すれば、鬼に金棒、年に千両の冥加金《みようがきん》も申し出られた。これがことの始まりじゃ。千両と申せば二千五百石の扶持料《ふちりよう》に相当する話」

「なんとなあ」

「その金があったればこそ、大目付首席にも昇れた。五街道からの実入りは年々増えていった。

ところがな、金峰庸左衛門め、目こぼしをするそれがしの礼金を一向に上げる気配はない。じゃが、金峰一族の懐には年間一万数千両の実収じゃ。この数年、庸左衛門に何度も目こぼし金の増額を迫ったが、言を左右にして逃げるばかりか、近ごろでは大目付のそれがしを反対に脅す有様。そんな折りにそなたの父が黒鼠を一匹道中方に入れおった。それに気付いた伊丹主馬は始末するゆえ力を貸せと言いおったわ。わしはな、この機会に金峰一族をも一気に潰して、一族が蓄財した金を頂く企てを考えた……」

影二郎の推測は間違っていたのか。

「伊丹主馬を捕縛したはその一環にございましたか」

「まさかやつらが牢屋敷に味方を入れて、切放までして破牢するとは考えもしなかった」

ここにおいて金峰一族と大目付秋水とは敵対する関係になったということか。

「秋水様、蓄財金はどこに隠してあると考えられますな」

「そなたが推測した通りに五街道の没収品はこの金峰伊丹を通じて江戸で捌《さば》かれ、換金された。ならば、この店あたりが一番の隠し場所と思えるがいくら探してもないわ」

「店を探し回られたは秋水様、そなたでしたか」

「十万金を越える小判の行方じゃ、苦労はいとわぬ」

「民の上に立つ旗本の気概、志を忘れられたか」

「気概、志など腹の足しにならぬわ。夏目、山吹色の味は格別なものじゃ」

「秋水左衛門丞、大目付の要職にありながら十年の長きにわたって不正を見逃したばかりか、莫大な賄賂《まいない》を懐にした罪軽からず。そなたを辰ノ口の評定所の裁きの場に立たせる手間をこの夏目影二郎が省いてくれん」

秋水がゆったりと下がり、暗がりからのっそりと尾村眩斎が出てきた。

数々の修羅場《しゅらば》を潜って生き抜いてきた眩斎の瘦身から虚無《きょむ》の匂いと血まみれの退廃が漂い匂ってきた。

あかが再び低く唸った。

「下がっておれ、あか」

上がりかまちから立ち上がると影二郎は南蛮外衣を脱いだ。

一文字笠は被ったままだ。

「尾村は尾張柳生の流れを汲《く》む者じゃ。じゃが、こやつの殺人剣は数々の修羅場で会得《えとく》したもの……」

見届け役に立ったように秋水が無口の剣客に代わって言った。

影二郎は法城寺佐常二尺五寸三分（およそ七十七センチ）の柄に手をかけた。

南北朝期、名工佐常の手になった大薙刀を刀に鍛《う》ち代えた業物《わざもの》は、反りの強いところから先反佐常と異名された。

「夏目影二郎」

「鏡新明智流の桃井春蔵《もものいしゅんぞう》道場の鬼といわれた男が夏目と申したが……」

尾村の目尻がぴくりと動いて呟き、すぐに表情を消した元の姿に戻った。

二人は横手から漏れる行灯の明かりを等分に受けるように歩み寄った。

その間合い一間半（およそ二・七メートル）。

尾村は抜刀術も使うのか、わずかに腰を沈め、右手を脇腹にたらしたまま、影二郎の動きを凝視した。

影二郎は左手から明かりを受けながら、立っていた。

殺気を消したその姿は無念無想、ただ時が満ちるのを待っていた。

長い対峙になった。

尾村眩斎の姿勢がさらに沈んだ。

まっすぐだった右手の指先が内側に曲げられ、ぴくぴくと動いた。

が、双眸はまったく動じなかった。

長い対決にも拘らず両者は静かな呼吸を続けていた。

行灯の灯心がかすかに揺らいだ。

二人の影もまた揺らいだ。

その直後、眩斎が疾走してきた。

澱《よど》んだ金峰伊丹の荒れた店先の空気がふいにざわついた。

沈みきった腰を伸ばしながら、拳《こぶし》が刀の柄にかかり、それが一気に抜き上げられた。

尾村眩斎の一閃は、穏やかな風の中に聳《そび》えた大木のように不動の姿勢で待っていた影二郎の右胴を斜めに襲った。

夏目影二郎は後の先を選んだ。

長い腕を利して先反佐常を鞘走らせると小さな弧を描かせて、襲いくる尾村眩斎の伸びた右肘を鋭く切断した。

「うっ！」

剣を摑んだ右手が飛んだ。

血が振り撒かれた。

眩斎が小さな呻きを上げる。

残った左手を脇差にかけた時、虚空に振り上げられた佐常が唸りを生じて、尾村眩斎の首筋を刎ね斬った。

前のめりに尾村眩斎が倒れ込む。

それを見た秋水左衛門丞が後退りしてその場から逃げ出そうとした。

「くえっ！」

秋水の体がぴくりと痙攣して硬直した。

胸の前に刀の切っ先が突き出ていた。

その姿勢のままに秋水左衛門丞が蹌踉《そうろう》と影二郎の方に歩いてきた。

背後に板橋宿で別れた菱沼喜十郎が従い、

「余計なこととは存じましたが……」

と言いながら、背から貫いた脇差を抜いた。すると大目付の体がぐらりと捻《ね》じり曲がるようにして土間に倒れこんだ。

「道中組頭佐竹吉勝の敵じゃ」

いつもは物静かな喜十郎が憎しみをこめて言い放った。

「いつから来ておったな」

「話の途中からにございますが、あの者が控えていたゆえに容易に近付くことができませなんだ」

喜十郎は尾村眩斎を見た。

「この場はどうしたもので」

「なぜ大目付どのが微行《びこう》して内藤新宿の薬種問屋に屍《しかばね》を晒《さら》しておるのか、公儀に調べさせればよい」

「ならばわれらは面倒に巻き込まれぬうちに引き揚げましょうぞ」

あかを従えた二人は、早々に惨劇の場を離れた。

四半刻（およそ三十分）後、夏目影二郎と菱沼喜十郎は、追分から裏手に入った曖昧宿が軒を連ねる一角に煮売りの屋台店を見つけて入った。

老人ひとりで田楽と酒を出すような安直な店だ。主は耳が遠いようであかになにか食べさせるものはないかと影二郎が頼んだが、飲みこむまで時間を要した。

ともあれ熱燗で戦いの余韻を鎮めた。

「別れたばかりの喜十郎が内藤新宿に来た理由はなんじゃな」

「それにございます。お奉行は影二郎様の帰りを待てとおっしゃられましたが、ちと気に入らぬ事態がございまして夜道を歩いて参りました」

と前置きした喜十郎は、

「鼠の久六が伝馬町の牢屋敷に自首して出たそうにございます」

「なんと……」

さすがの影二郎もこれには驚かされた。

「南の同心牧野兵庫にも会いまして子細を問い質しましたところ、数日前、鼠がひとり改築なった伝馬町に現れたそうにございます。それまで破牢の首魁の伊丹主馬の脅かしにあちらこちらと連れ回されていて、帰牢しようにも出来なかったと証言しているそうにございます」

影二郎は沈黙して考えに落ちた。

「牢奉行の石出帯刀様も一人の判断では決しきれず、月番の南町奉行に相談なされたとか。当人はちんまりと東の大牢に入って相変わらず、声色なんぞを披露して生き抜いているそうにございます」

「なんとも呆れた奴じゃな」

影二郎は酒を手酌で飲んだ。

黙念とした時間が流れ、影二郎が呟く。

「これで符節があったやも知れぬ」

「それがしにはなんとも奇妙なこととしか映りませぬが」

「それよ、奇怪な動きは何を意味するのか」

影二郎はしばらく沈黙に落ち、

「絵解きするには、確かめねばならぬことがある」

と言った。

「夜が明けたら急ぎ旅をいたす。喜十郎、そなたの力で伝馬を乗り継ぐ手配をしてくれぬか」

「どこまで行かれますな」

「おれの勘が当たっておるかどうか、戻ってから申そうか」

「ならば問いますまい」

喜十郎が笑った。

「父に申してな、鼠の久六の吟味しばらくお待ちあれと伝えてくれ。むろん放免もならぬ」

いってくれ」

「承知しました」

と答えた喜十郎が路銀を心配した。

「伊豆の下田湊で都合してもらった金がまだ残っておる。すまぬがあかを浅草の嵐山に連れていってくれ」

「影二郎様が江戸に戻られるのはおよそ何日と考えればようございますな」

「早馬じゃ、長くとも七日とはかかるまい」

「お気をつけておでかけなされ」

喜十郎はおよその行き先の見当がついたという顔で首肯した。

二

夏目影二郎は菱沼喜十郎とあかに見送られて、内藤新宿を夜明け前に出立した。駅馬を乗り換え乗り継いで、信州佐久の川上村金峰の里まで四十五里余（およそ百八十キロ）走り通した。そして、翌日の夕暮れには千曲川から金峰山川へと辿りついた。

影二郎が汗みどろの馬を引き、龍願寺の寺門を潜った時、寺内に奇妙な声があふれていた。

影二郎は馬を立ち木に繋ぐとその声の方に進んだ。

龍願寺の伊丹一族の墓所に老若男女が群れ集って、鉦や太鼓に合わせて奇怪な振りの踊りと歌に没入していた。

「めでたやな、めでたやな。伊丹の里に魂蘇《よみがえ》り、一族そろいてめでたやな」

主導の老人が歌うと、

「そいや、それそれ魂蘇《よみがえ》り魂蘇《よみがえ》り、はいやな」

とはやし立てた。

奇怪な念仏踊りは夜通し何日も続いていると見えて、老人も女たちも、子供たちもが汗と埃に濡れていた。その双眸はぎらぎらと光り、憑《つ》かれた者が醸《かも》し出す妖気《ようき》を漂わしていた。

これらの若い男女や子供たちは内藤新宿や諏訪宿などに移り住んでいた金峰一族の者たちが故郷に引き揚げてきた姿であろう。

「めでたやな、めでたやな。伊丹庸左衛門様、七年帰り黄泉《よみ》帰り……」

「そいや、それそれ七年帰り黄泉帰り、はいやな」

なんとも奇妙な文句を際限なく歌い合っていた。

「いつかは戻ってこられると思うておりました」

一文字笠の影二郎の背に声が掛かった。

振り向くと日傳和尚が立っていた。

影二郎は頷くとその場を離れた。

「江戸から通し馬で来られたか」

日傳が木に繋がれた馬を見た。

「ちと気になることを確かめに参りました」

頷いた日傳が影二郎を庫裏に誘った。

小坊主が熱い茶を影二郎と和尚の前に置いて消えた。

「頂戴致す」

喉に茶が甘く感じられた。馬の背で汗を流し続けてきたせいだろう。

「あの奇妙な念仏踊りが始まったのはいつのことですかな」

「そなた方がこの地を去っていかれて半月もしたころから始まりましたのじゃ。まず一族の女、子供たちが金峰に戻ってきた。その者たちが庸左衛門様の霊の神下がりを願うといって、ひとり二人が庸左衛門どのの墓の前で奇怪な念仏などを唱えていた。それがいつしか人数が増えてきた、このような有様でな、止めようにも止まらぬ」

「その他におかしなことがございませぬか」

「あの者たちは交替で三峰参りに峠を越えることが流行《はや》りはじめましてな。白法衣に白の脚半《きゃはん》に草鞋がけ、庸左衛門様神下がりと書いた幟を打ち立て、背に重たき白箱を担いで、十文字峠を越えていく。それが一度ばかりか何度も何度も繰り返していく始末じゃ。それが一月も続いたか、ふいに熄《や》んだ……」

「ほほう、おもしろき話ですな」

「三峰参りに高ぶった気も鎮まったかと思うたら、さらに激しくなってついには里じゅうでの馬鹿踊りじゃ」

「それも段々と熱を帯びてきたのですな」

「いかにもさようじゃ。そして狂気をおびるようになってきたのはこの数日のことじゃ」

「だれぞがよからぬことを吹き込み、禁制の阿片《あへん》なぞを与えたとみえますな」

「そなたもそう考えられるか。愚僧も故人の菩提は心静かに弔うものじゃと説教法話を試みたが、いかんせん憑かれた者には馬の耳に念仏じゃよ」

「この数日、金峰一族の主だった者たちが戻ってきた形跡はありませぬか」

「よからぬことを吹き込んだ者がいるとしたら、だれぞが戻ってきておろう。じゃが愚僧は見ておらぬ」

「御坊、今晩、厄介になる」

「一向にかまわぬ。そなた、だれぞに会われる気か」

「それがしの推量があたっておればな」

「ならば、庫裏にて般若湯《はんにゃとう》と白粥《しらかゆ》なと馳走しよう」

影二郎は心尽くしの酒と白粥を食すると、与えられた宿房で手枕に南蛮外衣をかけて眠りについた。

影二郎が目覚めた時、体の上に布団が掛けられ、部屋の隅には行灯の明かりがあった。

冷気の具合からかれこれ九つ半（午前一時）は回った頃合かと推測した。

影二郎は法城寺佐常を腰に落とし差しにすると、南蛮外衣と一文字笠を手にして宿房から境内に出た。

半月が冴え冴えと雨降山の頭上にあった。

影二郎が乗ってきた馬は小僧が世話をしてくれたか、庫裏の裏手から嘶く声がした。

山門を出た影二郎は月光を頼りに金峰山川を上流へと上っていった。すると金峰庸左衛門らが主馬らによって惨殺されて燃やされた屋敷が見えてきた。

影二郎は屋敷への坂道を孤影を引いて上がっていった。

竹林が夜風にざわざわと音を立てる。

屋敷跡は無残にも燃え落ちた跡を止めて、そのままに放置されていた。

が、影二郎は最近だれぞが入りこんだ痕跡を認めていた。

影二郎は燃えた母屋の跡を、納屋を、蔵を順に見て回った。

十文字峠を越えてきた時にはなかった破壊の跡を味噌蔵の厚い壁と床に見ていた。明らかに白壁が剝がされて、なんぞ埋められていたものが取り出された痕跡があった。そしてそれは床下の穴にも見られた。

影二郎らは五街道から稼ぎ出した十万余両の小判を長老庸左衛門一家を惨殺した後、主馬一行が運び出したものとして諏訪宿、浜松宿、さらには海路、宇都宮宿へと訪ね歩く旅へと誘い出されていた。が、蓄財金は影二郎とおこまが訪ねてきた三月前、この炎上した屋敷に隠されたままであったのだ。

主馬らは影二郎らを金峰の里から他郷に誘い出すためにわざわざ大八車に千両箱を運ぶ振りを装った。里を出たところで大八車を大門川に投げ捨てていることでも、偽装であったことを示していた。それは諏訪宿の天竜下りの船も山賊に襲われた痕跡を装われていたことでも明らかであった。また浜松宿では主を殺害して墓穴に捨てた。穴にはあたかも蓄財した金が埋蔵されていたかのような工作が行われていた。

思えば足掛け三月にわたって壮大にも無益な旅をさせられたことになる。

(なんとも姑息な手に引っ掛かったものよ)

影二郎が自嘲したとき、伊丹屋敷の荒れた庭に二つの影が立った。

一人は侍姿、もう一人は町人の格好だ。

「現れおったな」

侍が影二郎に言った。

「それはこちらの台詞じゃ、伊丹主馬」

ふ、ふふうっという笑いが漏れた。

「そなたにはあちらこちらと引き回された上に邪魔者の始末までさせられた……」

影二郎は内藤新宿追分の金峰伊丹で大目付秋水左衛門丞と用心棒の剣客を斬ったことを告げ

た。

「それは思いがけない朗報、礼の言葉もない」

主馬が満足そうに笑い、

「大目付の強欲には辟易《へきえき》していたところ、なんぞ返礼をせねばならんな」

「ならば教えよ。里の一族たちを阿片の力でたぶらかし、十文字峠越えに掘り出した十万余両を奥秩父に送りこんだか」

「よう推量した、褒めて遣わす。なにしろ栃本の関所も三峰参りの善男善女にはお調べもないからな。背の箱に背負った何百両もの小判も蟻《あり》がえものを運ぶごとくにすっかりと秩父側に運びこんだわ」

「ついでじゃ、運び先を聞かせよ」

「荒川は江戸に通じた流れとだけ答えておこう」

「再び集めた小判を三峰山下の荒川の源流に待たせた船に積みこんだか」

「まあ、そんなところ」

「伊丹主馬、十万余両の小判を運び去ったとあらばもはや金峰の里には用事がなかろう」

「ある」

と即答した主馬は、

「一にそなたの始末」

「おれが戻ってくると考えていたか。二には……」

「故郷がなにより安息の地よ。われら金峰一族は故郷で再び魂蘇《よみがえ》るのじゃ。そのためにいろいろと……」

主馬は言葉尻を飲みこんだ。

「十万余両の蓄財金を使ってほとぼりの覚めるまで仮眠する気か」

「金は再起の時まで取っておかねばなるまい」

伊丹はふいに間合いを詰めてきた。

「主馬様、そやつの一文字笠に注意してくだせえ。小柄かんざしを仕込んでいやすぜ」

「どうやら飛脚の典助とはそなたか」

「おおっ、おれが韋駄天《いだてん》走りの典助様よ。主馬様、お仲間の短筒の礼五郎の敵を討ってくだせえよ」

影二郎は一文字笠を頭から脱ぐとかたわらに投げた。

長身にまとわりつく南蛮外衣の前を開けた。すると法城寺佐常の柄がのぞいた。

「主馬、そなたの先祖は貧乏御家人の伊丹の株を買って二本差しになったようだが、流儀はなんじゃな」

「そなたと同門といえば驚くか」

「なにっ、鏡新明智流か」

「おまえが去った桃井道場でおまえの噂を聞きながら汗を流したものよ」

影二郎は「位の桃井に鬼が棲む……」とまで恐れられた天才剣士だ。それを知っていて動じない伊丹の腕前が想像された。

主馬が剣を抜くと正眼に構えた。わずかに右足を前にして半身にとった。

堂々とした剣風といっていい。

影二郎は、刀の柄に手をおくことなく主馬の出方を窺った。

「抜け、抜かぬならこちらからいく」

「伊丹主馬、そなた相手に法城寺佐常はもったいない」

「素手で立ち向かう気か」

主馬が半歩間を詰めた。さらに半歩……ついに一間半に間合いが縮まった。

影二郎はただ南蛮外衣の片襟に手をそえて待った。

機が熟し、その興奮を面《おもて》に表したか、わずかに主馬の顔が紅潮した。

「えいっ！」

主馬がついに走った。

影二郎の不動の眉間目掛けて、桃井道場仕込みの縣河《けんが》の面打ちが襲ってきた。

それは迷いなく変化せず一気にきた。

影二郎の片手が下方に引き抜かれると手首が捻り上げられた。すると肩に羽織られていた黒羅紗の長合羽が虚空を舞い、裏地の猩々緋が炎のように燃え上がった。

「うっ！」

予期せぬ変幻にも迷うことなく主馬は、一直線に影二郎の面打ちにこだわった。

渦巻くように立ち上った長合羽の両の裾が、ぱっ、と広がり、裾に縫いこまれた二十匁（七十五グラム）の銀玉が主馬の剣を巻きこむように絡み、虚空に放り上げた。そしてさらにもう一つの銀玉が主馬の腰を叩くと地面に転がしていた。

「なんと……」

剣は数間先に落ちていた。

「桃井道場ではそのような腰抜け剣法を教えたか」

影二郎の憤激を飲んだ言葉となって主馬を襲った。

すでに南蛮外衣は影二郎の手元に戻っていた。

「糞っ！」

罵りの言葉を吐いた主馬が投げ出された剣のところに転がった。そして柄に手を掛けた時、影二郎は銀玉の一方を握って、長合羽を帯状にして使った。

長く伸びた長合羽の裾が主馬の剣をはたき飛ばそうとした時、飛脚の典助の手から手鉤《てかぎ》のついた縄が投げられ、伸びた南蛮外衣を摑みとった。

「主馬様、手妻は種切れだ」

典助が勝ち誇ったように叫び、影二郎は南蛮外衣を迷いなく手放した。

「伝馬町の牢屋敷を破牢した罪人に法城寺佐常を使うはもったいない。じゃが、所望とあらば仕方ない。伊丹主馬、江戸に連れ戻るも煩わし、金峰の里が断罪の場と思え」

「抜かせ」

主馬は再び剣を構え直したが、今度は構えを上段に移していた。

影二郎は佐常二尺五寸三分を抜くと下段にとり、切っ先を左に流した。

その姿勢で凍《い》てついたように両者は動かなくなった。

だが、不動の対峙はそう長く続かなかった。

破ったのは影二郎でも主馬でもなかった。

二人の兄弟弟子の行き詰まる対決に焦《じ》れたか、典助が手鉤を影二郎の下段の佐常に投げかけた。手鉤が豪剣に絡んで、きりきりと引っ張った。

「主馬様、今でござんす」

佐常の動きを止めた典助が叫んだ。

主馬がその声にうながされたように突進してきた。

上段の剣が動きのつかない影二郎を襲う。

影二郎は飛脚の典助に引っ張られる佐常をふいに典助の方に流すと、わずかに縄に弛みが生じた。

影二郎の手首が捻られ、豪剣の刃が縄目にかかり、ぶち切った。

飛脚の典助が尻餅をついて転んだ。

影二郎はそれには構わず、主馬の雪崩落ちる剣を潜って横に転がった。

主馬が素早く反転した。

起き上がろうと中腰の影二郎に迫った。

影二郎の眼前に主馬の剣が落ちてきた。

影二郎は咄嗟に佐常の柄と峰を両手に持つと受けた。

刃と刃がぶつかり火花が散った。

上方からおし潰すようにのし掛かった主馬がにやりと笑った。

影二郎はそれに抵抗することなく、自ら地面に尻を落とすとのし掛かってきた主馬の太股に足をかけて後方に投げた。

巴《ともえ》投げだ。

勢い余った主馬が影二郎の体を飛び越えて落ちた。

影二郎が立ち上がろうとした時、匕首を腰のあたりにしっかりと保持した飛脚の典助が突っこんでくるのが視界の端に映った。

影二郎は片手突きに先反佐常の切っ先を下から差し出した。

韋駄天と誇った猪突猛進《ちょとつもうしん》が典助の破綻《はたん》を誘った。

「ぎえっ！」

豪剣の切っ先が胸板を貫いた。

影二郎の片手は典助の肉と骨を裁《た》つ感触を感じる暇もなく、手前に引き抜きながら前面に一回転すると立ち上がった。

投げ飛ばされた主馬はすでに起き上がって剣を斜めに構えつつ、影二郎に迫ってきた。

影二郎は佐常を正眼におくと走った。

一瞬の内に間合いが切られ、斜《しゃ》に回された主馬の剣が影二郎の脇腹を、正眼の佐常が主馬の肩口に襲い合った。

円弧と落下。

二つの剣は力学の法《のり》で一瞬の遅速に分かった。

影二郎は肩口を斬り下げると同時に、弧を描いて迫りきた刃の内側に身を寄せていた。

それが生死を分けた。

「ぐえっ！」

奇声を発した主馬がたたらを踏むと、頭から地面に突っ込んで倒れこんだ。そして痙攣する体の下から月光に照らされて青い血が広がっていった。

「桃井の床板の嘗め方が足りぬわ」

影二郎の口からその言葉が漏れた。

そして先反佐常に血ぶりをくれた。

夜明け前、影二郎が龍願寺に戻ると金峰本家の墓地では未だに念仏踊りが続けられていた。

「めでたやな、めでたやな。金峰の里に魂蘇《よみがえ》り、一族そろいてめでたやな」

男女の髪は乱れに乱れて、顔からはだらだらと汗が流れていた。

もはや魂は虚空を飛んで憑依幻覚《ひょういげんかく》の者ばかりだ。

「そいや、それそれ魂蘇り魂蘇り、はいやな」

「めでたやな、めでたやな。金峰庸左衛門様、七年帰り黄泉帰り、一族そろいてめでたやな」

「そいや、それそれ七年帰り黄泉帰り、はいやな」

月光の下での念仏踊りは際限もない。

影二郎は法城寺佐常を腰から抜くと、踊りの輪の外で白みいく東の空に向かって座禅を組んだ。

佐常は影二郎の膝の前に置いた。

両眼を軽く閉じた。

脳裏からすべての考えを払い避けた。

ただ無我の境地に自らを導いていった。

念仏踊りの歌も消え、静寂《せいじゃく》世界に身を晒した。

時が流れていくが、その感覚すらも消えた。

山の端から日輪が伸びて、念仏踊りの人々を、孤独に座禅を続ける影二郎を射た。

英気を五体に感じた瞬間、影二郎は法城寺佐常を握るとすっくと立ち上がっていた。

瞑目したまま、鞘を走らせた。

先反佐常が曙光を受けてきらめいた。

「えいっ！」

影二郎は気合とともに心に映じた日輪を両断した。

その瞬間、龍願寺の寺内が震え、時が止まった。

念仏の声も踊りの輪も停止した。

影二郎が両眼を開けると老若男女たちは呆《ほう》けた顔で立ちすくんでいた。

自分たちがなにをしていたか、どこにいるのかさえも分からぬといった表情だ。

「よおく聞かれよ。そなたらが頼みとした伊丹主馬は、それがしが斬った。江戸は伝馬町の牢屋敷に火を導き入れて、切放を誘い、破牢した罪によってじゃ。もはや金峰一族はそなたらを残して消えた。これからは生き残った者たちがこの地で互いに助け合って過ごされよ。相分かったな」

影二郎の大声が消えると一族の者たちは、連れ立って伊丹一族の墓の前から消えていった。

「坊主のわしができんことをそなたはようなされた」

日傳和尚の声がした。

「江戸に戻られる前に話し合うこともあろう。じゃが、その前に温かな粥など腹に納められよ」

日傳のあとに影二郎がゆっくりと従った。

三

正月、赤猫の牢内入りで伝馬町牢屋敷の東の牢内は焼けた。

そこで切放から浅草溜に戻ってきた囚人たちは、浅草溜に用意された仮牢に時を過ごして、新しく建て替えられた新牢に戻ってきたのだ。

東の大牢の牢役人は牢名主の亀松以下、新たな顔に変わっていた。

当代の牢名主は火付け強盗の上に押し入った乾物屋の女中を凌辱《りょうじょく》して、主夫婦を刺殺した凶悪な、角筈《つのはず》の兇三郎《きょうざぶろう》だ。どうせ死罪は免れないと新牢で好き放題にのさばっていた。

夕げのもっそ飯も済んだ頃合、兇三郎は若いちぼ（掏摸）の千吉を相手に鼠の久六にたっぷりと濡れ場を演じろと命じた。

久六は切放の後、亀松らに従い、さらには伊丹主馬一行に脅されて従わされてきたと、新しい牢屋敷に飄然《ひょうぜん》と戻ってきた無宿者だ。

その後のお調べで脅迫されて従わされていたのなら、旧悪の無銭飲食の罪過が残るだけ、近々解き放ちになるという噂が牢内に流れていた。

中年の小男はしゃなりと大牢の暗がりに消えると、千吉を相手に暗がりからの声色だけの芝居を始めた。

「千さん、およしよ。まだ陽がたかいじゃないか。あれ、裾を割って蹴出《けだ》しなんぞに顔を突っ込むんじゃないよ。あれっ、お腰が、はぎ取られてまあ……」

真っ黒の上に皺だらけの鼠顔からはとても想像もできない、艶っぽい声が牢内に響き、娑婆から隔絶された囚人たちの妄想を掻き立てた。

大半の男たちは久六の面を思い出さないように両眼を閉じていた。

が、牢名主の兇三郎はぎらぎらとした双眸を鼠の背に投げていた。

「千さん、そこは駄目。駄目だよ、濡れているって恥ずかしいじゃないか。こうしたのはおまえさん、千さんだよ……」

男二人が絡み合おうとした時、外鞘の戸の錠前が外された音がして、新入りが送りこまれる気配がした。

「ちえっ、これからがいいところだというのに野暮な新入りじゃねえか」

小者に腰縄を取られ、鍵役同心が従う新入りは東の大牢の御戸前口で止まった。

兇三郎の顔に色事からいたぶりに変えるかという表情が走った。

「南町奉行所預かり、浅草無宿影二郎二十八歳……」

鍵役が南からの送り状を読み上げる。

「おおっ」

兇三郎は声を張り上げ、

「新入り」

二番役中座に向かって命じると、やおら立ち上がって木の香も新しい板の間に敷いた畳の上にどっかと腰を下ろした。

頭と隅の隠居ふたりも同じく牢名主を左右からはさむように一畳の上に座した。

大牢の鍵が開けられ、二番が、

「さあ来い」

と御戸前口の新入りに告げた。

腰縄が解かれ、真っ裸にされた。

どんな囚人でも身震いして牢内には進めない。

影二郎は自分の衣服を持つと戸口を腰を屈めて抜けた。

囚人ふたりが影二郎が頭を差し出したのを見計らって、髻《もとどり》をつかむとその場に引き伏せ、脱いだ衣服を影二郎の頭にかぶせた。

両膝を突き、両手を差し出した格好で畏《かしこ》まる影二郎の両手を先程の二人が床に押さえつけた。

鍵役同心ら役人は足早に牢から退去していた。

江戸幕府の囚獄《しゅうごく》は、牢内の自治、悪人同士の規律に任せていた。

「千灯満灯の不夜城北国の遊里吉原田圃はさておいて、永代島の全盛に、早や中町の尾花やで芸者幇間にもてはやされ、浮いた揚げ句が汚ねえ仕業で入ったというか。それならそれで、名乗りねえ」

「浅草無宿影二郎にございます」

「なにっ、浅草田圃の田舎者か。金《つる》は持ってきたか」

「へえっ」

影二郎は口に銜《くわ》えた小判を三枚出して見せた。

「よう持ってきた、汚ねえ口に銜えて落とすなよ」

牢役人も恐れる地獄も金次第というわけだ。

影二郎の身は二番から詰めの隠居に渡された。

「これ新入り、婆婆じゃなんというかかんというか、雪隠《せっいん》と雅《みやび》にいうか。よおく聞け、婆婆じゃ厠《かわや》とも雪隠《せっちん》ともいうが、御牢内じゃあ、名が変わって、詰めの神様という。詰めには本番、本助番とて、二人役があって、日に三度、夜に三度の、塩磨きするところだ……」

詰めの本番が牢内の仕来たりを延々と教える。

その間、影二郎はひたすら耐えているしかない。

だが、影二郎にとって御牢内は馴染みの場所、遠島への流罪船を待つ間に入っていた場所だ。

そう、あれから三年の歳月が過ぎていた。

「……穴に真っ向探って、竪《たて》八寸横四寸、前に打ったが陰嚢《いん》隠し、周りに打ったが抹香縁《まっこうぶち》、糞でも尿でもしかけやがると、われが娑婆から持ってきた一枚どてらで、拭かせにゃならない……」

影二郎は馬鹿馬鹿しいほど大仰な脅しを聞きながら、信州佐久から江戸に戻った慌ただしさを追憶していた。

影二郎はまず菱沼喜十郎を通じて父、常磐豊後守秀信に復命した。

秀信は、勘定奉行所からの戻り、道三橋下に用意させた屋根船で対面を許した。

影二郎はまず切放の後に逃亡した五名を処断したことを報告した。

「鼠の久六と申す小物は自ら牢屋敷に戻ったそうじゃな」

「はい」

「破牢者五人の処断、牢奉行石出どのにはそれがしから耳打ちしておこう。安心なさることであろう」

と言った秀信は、

「じゃが、瑛二郎、伊丹一族が五街道からの禁制品を横領して蓄財した十万余両の金子はどこにいった。老中水野様は、天保の大飢饉がいつはてるともなく続く折り、もしその金子あらば、幕府も一息つくと期待しておられる。それがございませんでは、秀信の面目がたたん」

秀信は都合のよいことを言った。

そう思いつつも影二郎は、

「川上村金峰の里の金峰本家に埋蔵されていた大金が一族の者たちの三峰参りの荷に入れられて、信州から秩父へと運ばれ、船にて荒川を下り、この江戸に入ったのは確かにございます。ですが、そこから先が未だつかめておりませぬ」

「なんぞ手立てはないか」

「なくもありませぬ。が、父上、ちと荒業を使うことになるやもしれませぬ」

「十万両に見合うなら、秀信、なんとしても頑張ってみしょうか。なんぞ、手助けがいるか」

「父上の出番にはまだ早うございます」

「菱沼喜十郎と南の同心牧野兵庫どのの力を差し当たって借り受けます」

その夜、浅草の長屋に菱沼が牧野を同道して顔を出した。

「夏目様、無事に江戸帰着おめでとうございます」

牧野が丁寧な挨拶を成した。

「父から受けた使命は未だ半ば、困っておる。そこで二人の力を借りたい」

「私でできることならなんなりと」

「南町の定廻同心ならしごく簡単な話だ。おれを摑まえて、伝馬町の大牢に放りこんでくれないか」

「なんと……」

喜十郎が呆れたように呟いた。

「何用あって自ら牢に入られますか」

牧野も問い返す。

「うーん、鼠の久六に会ってみたいのさ」

「切放の首魁に連れ回されていた無銭飲食の者にございますか」

喜十郎はそういうと考えこんだ。

「夏目様、牢を出るのも大変にございますが、牢に入るにはもっと手続きが繁多《はんた》にございますぞ。どうしてもということであれば、吟味与力に相談いたしまする。三、四日の猶予をお願いいたします」

影二郎は黙って頭を下げた。

次の日、影二郎はふらりと浅草溜を訪ねて、非人頭の車善七に面会を求めた。

正月十四日の赤猫によって伝馬町の牢屋敷は半焼の憂き目にあった。

三日後、浅草溜に出頭してきた囚人たちは、善七が用意した仮牢に新牢が完成するまで留め置かれたのだ。

「おお、これは夏目様」

善七は一度会っただけの影二郎のことを覚えていてくれた。

「そなたが顔を覚えていてくれたのは重畳《ちょうじょう》、助かった」

「なにをおっしゃいますな。夏目様は弾左衛門様のご友人、忘れるものですか。それより、切放の者たちを始末なされたそうにございますな、お手柄でした」

さすがに闇の幕府の一員たちだ。情報が伝わるのは表の幕府の機構よりもはるかに早かった。

「舞々の無左衛門は、天竜川の田切の瀬の水底に沈んでおるわ。今ごろ魚の餌と化しておろう」

「浅草のお頭も喜ばれましょうぞ。われらに代わって成敗していただけたのですからな」

そう言った善七は、

「この善七に用とはなんでございますな」

「伝馬町の牢が焼け落ちた間、浅草溜が仮牢になったようじゃが、おれが知りたいのは新牢のほうだ。聞けば、牢屋敷の作事方《さくじかた》に協力して、そなたの配下の者たちが牢の建設に狩り出されるそうじゃな」

「牢は特別な造りにございます。町衆の棟梁大工《とうりようだいく》では手に負えませぬ」

善七は赤猫で焼け残った牢も強固さを保つためにすべて打ち壊して、新材で建て直したといった。

「牢内の板は栗の厚板でしてね、その厚さが半端じゃない。天井も羽目格子も腰板も太鼓張りという特殊な張り方でしてね、ちっとやそっとじゃ逃げられねえようになってます。そんな牢だ、牢屋敷の作事方だけでは手に負えない。うちの者たちが随分と狩り出されました……」

「善七どの、そなたの手下の差配をした者に会いたいのじゃが」

「頭領の杉三ですがね、今、呼びますぞ」

影二郎は杉三と長いこと話し合い、工事の進捗《しんちょく》を記した帳簿を調べて、浅草溜を去ったものだ。

そして浅草を訪れた二日後に真新しい東の大牢の栗板の上に引きすえられていた。

影二郎の詰めの教えが終わり、影二郎は着てきた衣類を抱えて、名主の前に引き出されていた。名主が影二郎の抱えた服を取り上げ、綿入れ一枚に古三尺を代わりに渡そうとした。

「もうし、二番役さん」

とその時、声が掛かった。

牢内の新入り儀式の最中に訴えが入るのを、突き上げる、という。

「突き上げか。となれば浅草無宿影二郎なんて名は偽名、岡引《おかっぴ》きか」

突き上げは岡引きが罪を犯して牢入りする時に、この男に縄目を受けた入牢者から訴えが入り、処罰を要求するものだ。

突き上げられた岡引きは糞を盛り上げた椀を何杯も食べさせられて殺されるのが牢内の御法、習わしであった。それだけに十手持ちは伝馬町の牢屋敷に送り込まれることに恐怖を感じた。

突き上げの主は鼠の久六であった。

「久六、こやつに縄目を受けたか」

牢名主の兇三郎が聞いた。

「こやつは隠密《しのび》にございます」

「牢内に町奉行の隠密《しのび》がもぐりこんだか」

「いえ、勘定奉行にございます」

兇三郎が久六から影二郎に視線を移し、

「新入り、面を上げえ」

と命じた。

「へえっ」

影二郎は下帯ひとつで膝に着てきた袷と帯を抱えて兇三郎を見上げた。

「いかにもふてぶてしい面構え。おめえは久六のいうように勘定奉行所の隠れ監察か」

「牢名主に申し上げます。いかにもわっしは勘定奉行所と関わりを持つ者……」

「神妙と言いてえが、態度がでけえにも度が過ぎておる。これ、詰め、馳走をしてやれ」

先ほど影二郎の手を左右からとっていた二人が影二郎の腕を捩《ね》じり上げようとした。

その瞬間、影二郎の手が二人の足を払うと虚空に舞わせて床板に叩きつけていた。

「野郎！　牢内の仕来たりを教えてやれ」

兇三郎の命に牢内が殺気だった。

影二郎が動いた。

膝にあった帯が棒状になって兇三郎に飛び、首筋にからまると影二郎の前に引き据えていた。

帯の端に銀玉が縫いこんであった。それを利しての一瞬の早技だ。

「牢名主の首が圧《へ》しおれるがいいのかえ、それともおとなしくおれの話を聞くか。どうだな」

牢名主に代わって頭が、

「新入り、話とはなんだ」

と聞いた。

「わざわざ娑婆から地獄を訪ねたは理由《わけ》がある。暇潰しに聞く気はあるかえ、兇三郎。話を聞いて納得しなきゃあ、おれを突くなと殺すなとしねえな」

「牢名主さん、こやつの口先に乗ってはいけませぬ」

鼠の久六が言い出した。

「どうするな、鼠が正体を現したぜ」

片膝を床板に押しつけられた兇三郎が頷いた。

「よかろう」

影二郎がごろりと兇三郎を畳の方へ転がした。

悪態をつく兇三郎を尻目に影二郎は素早く着物を身に纏って帯を締めた。

「正月十六日、この大牢に赤猫が入りこんだは知っておるな」

兇三郎が威厳を取り直したように大様に頷いた。

「赤猫を招き入れ、切放を企てた者たちがいた。そやつらは揚屋牢に入っていた元道中奉行道中方の伊丹主馬を取り戻すために赤猫をいれたのよ。だがな、赤猫を牢に入れるのを助けた牢名主の亀松らは回向院を解き放ちになったあとに諸役七人ことごとく駒留橋下で殺されやがった」

「聞いた、その話。いってえだれがやったというのだ」

「ここにおられる鼠の久六だよ」

「なんとこやつがか」

貧相な体と顔立ちの鼠の久六の態度が仮面をかなぐり捨てたようにふてぶてしく変わった。

そのかたわらを囚人たちがかこんだ。

「てめえらはいってえ……」

と驚く兇三郎に影二郎が教えた。

「鼠の久六とは真っ赤な偽名、正体は信州佐久の川上村金峰の里、金峰一族の長老金峰庸左衛門よ。十数年前より五街道の伝馬問屋を牛耳り、街道で没収される御公儀禁制の品を横領して、内藤新宿の薬種問屋を利用して、売りさばいた。この歳月に十万両余を蓄財した大悪人だ。兇三郎、おめえが逆立ちしたってこの鼠の久六様には敵わねえ」

「なんとなあ」

兇三郎が絶句した。

「ふふふふふうっ」

という忍び笑いが牢内に流れた。

鼠の久六こと金峰庸左衛門が笑っていた。

「夏目影二郎、どうして私が金峰庸左衛門と分かったな」

「おまえが自らこの牢に戻ってきたと知った時からよ。主馬らと共に十文字峠を越え、諏訪宿に廻り、天竜を下って浜松宿に出た。さらには五百石船で遠州灘、相模灘、房州灘と航海し、那珂湊から宇都宮にまで旅をした。その間にいくらも逃げ出す機会があったろうよ、そいつをおめえは江戸に戻りついて自首して出た。つまりはおれを引き回す役が終わったということだ……」

「よう考えた」

庸左衛門が言った。

「おれが主馬を追って十文字峠を越えたとき、金峰屋敷は焼け落ちておまえを始め、十人の家族が焼死した。が、どう数えても九体しか遺骸は見つからなかった。そのとき、おまえの身代わりになった者のことに気がつけば、無益な旅をせずに済んだかもしれぬ」

影二郎はいったん口を閉ざした。が、すぐに、

「めでたやな、めでたやな。金峰の里に魂蘇《よみがえ》り、一族そろいてめでたやな……」

と金峰の里で歌い、踊られていた念仏踊りの文句がその口から流れ出た。

庸左衛門がぎょっとした顔で影二郎を見た。

「そなたは金峰を訪ねたか」

「おお、再び訪ねたわ。龍願寺の日傳和尚におめえの身代わりになった者のことを聞いてみた。すると下男の平吉が金峰庸左衛門と体付きが似ていることが分かった。おそらく平吉はおまえが密かに江戸に出て、この牢に入っている間、金峰屋敷の奥座敷でおまえの衣服を着せられ、煙管や装身具などおまえの愛用の品を身に付けさせられて、仮病の身代わりをさせられていたのであろう。そして、鼠の久六が主馬と金峰に戻ってきた途端に殺されて焼かれた」

「……」

「それにじゃ、宇都宮宿を仕切っていた奥州屋武太夫の妾の屋敷でおれの連れが一度、おまえが主馬の供を装いながら、真の頭目であることを示した声を発したのを聞いていた」

「なにっ、おきちの家におまえの手下が忍んでいたか」

「鼠の久六が迂闊にも尻尾を出して武太夫に『今晩じゅうにすべてを片付けてくだされよ』という命を出した主がだれか今少し注意を払うべきであったわ」

「なんとのう……」

庸左衛門が嘆息した。

「切放の首魁、伊丹主馬と飛脚の典助はあの世に送った……」

「兄じゃ……」

と呟きの声を漏らしたのは庸左衛門の左手にいた男だ。

「おめえが浜松宿を仕切っていた輿之吉か」

「許せねえ」

輿之吉はどこに隠し持っていたか、千枚通しを手にした。

「めでたやな、めでたやな。伊丹庸左衛門様、七年帰り黄泉帰り……金峰の里で歌い踊られる光景を見た時、おれは焼け死んだはずの金峰庸左衛門が生きていることをようやく確信した。そなたらは数年を逼塞《ひっそく》して闇に隠れ棲み、またぞろ復活しようと考えていた。そのために十万余両の金子を江戸に隠した……」

「さてな、このわしを摑まえたところでそのような金子は出てこぬわ」

「そなたは公儀の恐ろしさを知らぬ。勘定奉行ばかりか、大目付、町奉行、さらには牢奉行までを虚仮にした、愚弄した。そなたの牢問いは並ではあるまい」

「おとなしく摑まる金峰庸左衛門と思うてか」

輿之吉が千枚通しを翳して影二郎の胸元に突っこんできた。

残った仲間が庸左衛門を囲むと大牢の出口まで下がった。

「鍵役！」

不敵にも鍵役同心を呼んだ。

影二郎は輿之吉が翳す千枚通しの下に体を滑り入れた。千枚通しを持った手首と足首を摑んで、突進してくる勢いを利用して赤松で造られた格子に叩き付けた。

「げえっ！」

気絶した輿之吉を冷たく見下ろした庸左衛門は、

「鍵役……」

と再び呼ばわった。

その途端、外鞘から無数の明かりがあてられた。

鍵が開けられる音がして、陣笠を被った武家が入ってきた。

四

「金峰庸左衛門、町奉行、勘定奉行の出役である。神妙に致せ」

勘定奉行所監察方菱沼喜十郎が誇らしげに叫び、

「そなたが買収した鍵役同心はすでにお縄になっておる」

影二郎は金峰から江戸に戻った時、菱沼喜十郎と牧野兵庫に鼠の久六が金峰庸左衛門の偽装の姿であることを告げ、牢に戻った以上、金を使って牢役人を味方に引きこんだ可能性のあることを教えていた。

と告げた。

庸左衛門が御戸前口で座りこんだ。

「牢奉行の石出帯刀じゃ。南町奉行筒井紀伊守政憲様、勘定奉行常磐豊後守秀信様同道の牢内召し捕りである。関わりのない者はおとなしく致せ」

牢の鍵が開けられ、捕方が牢内に入ると金峰庸左衛門と二人の部下に縄を打って引き出した。さらに怪我をした輿之吉が出され、

「吟味の筋がある。東の大牢の者、すべて仮牢移しを命ずる」

という石出の声が響いた。

「夏目影二郎」

と言い出したのは、牢の外に出された庸左衛門だ。

その語調に居直りがあった。

「負けた、負けましたよ。じゃが、金峰庸左衛門の黄泉帰りの金子はお前らの手には渡さぬ、夏目影二郎、このことしかとおぼえておれ」

「喜十郎！」

影二郎の注意の言葉が飛んだが、時すでに遅かった。

喜十郎が飛びついた金峰庸左衛門の顔が歪むと、その口の端からだらだらと血が流れ出した。

「しまった、舌を嚙みやがった」

「牢医師の下に……」

慌てた声が交錯し、庸左衛門は直ちに牢医師の下に運ばれていかれた。

四半刻（およそ三十分）後、東の牢から囚人がすべて消えた。

外鞘に残ったのは勘定奉行、町奉行、牢奉行の三奉行と二人の配下だけだ。

二人とは菱沼喜十郎と牧野兵庫の姿であった。

影二郎は未だ大牢にいた。

「筒井様、夏目瑛二郎にございます」

秀信が事情を知る町奉行に倅を紹介した。

筒井政憲は、ただにっこりと笑みを浮かべた顔で会釈した。

影二郎も牢内から無言の挨拶を返した。

「瑛二郎、われらを金峰庸左衛門の召し捕りの場に呼び出した理由《ことわり》を聞こうか」

影二郎が頷いた時、石出の配下の同心が牢内に入ってきて、

「奉行、車善七が参っております」

と告げた。

「それがしが善七どのと牢屋敷の作事方を呼んだのでございます。同心どの、ここに通してくだされ」

同心が石出の許しを得るように見た。

石出は二奉行を振り見た。

同じ奉行でも牢奉行は三百俵十人扶持、勘定奉行は三千石高で御役料七百俵御役入金三百両、町奉行の三千石高御役料二千両とまるで職格が違った。

「牢奉行、入れよ」

と命じたのは筒井だ。

非人頭車善七とその棟梁と作事方、道具を手にした人足十数人が入ってきた。

善七が幕府の要職の二奉行を見て、無言で頭を下げた。

「善七どの、手間を掛けるな」

影二郎の言葉に善七が頷き、御戸前口を潜って牢内に入ってきた。

「石出様、東の大牢の床板を剝がさせてもらいます」

影二郎が言い出した。

「なんと申されるな」

石出が仰天して叫んだ。

「夏目瑛二郎の好きにさせよ」

筒井が許しを与えた。

牢屋敷の作事方と棟梁が牢内の板壁や格子や床板を確かめて歩いた。

善七は黙念とみていた。

影二郎はようやく牢から外鞘に出た。

代わって善七の手下たちが東の大牢内に鶴嘴《つるはし》、筵、もっこ、ざる、手明かりなど道具を運びこんだ。

「瑛二郎、そなたの手妻が失敗《しくじり》に終わった時、筒井様になんとお詫びすればよいのじゃな」

「父上、要職にある者、つねに針の筵は覚悟の前」

「言いおるわ」

牢内では手際よく太鼓張りの格子を抜き、栗の床板を剝がす作業が始まっていた。床板は、板というよりも柱を敷き詰めたものだ。

牢屋敷の作事方も善七の配下もつい先日に手を下した牢建築だ。

手慣れた手順で床板を剝がしていった。すると切石が床板に密着するように敷き詰められてみえた。

「これでは牢抜けはできぬな」

町奉行の筒井も初めて牢屋敷の構造をみるのか、感嘆の声を上げた。

切石が剝がされ、さらに取り除かれた。するとようやく土が姿をみせた。それもしっかりと踏み固められた土だ。

これでは床下を伝って破牢しようにも素手や生半可な道具では掘ることは叶わない。

それを善七の部下たちは鶴嘴、手鍬などを器用に使い、幅四尺、深さ三尺ほどの穴を掘り下げた。

「瑛二郎、なぜかようなことを思いついたな」

秀信が影二郎に聞いた。

近くには筒井、菱沼、牧野の三人がいるばかりで、石出はその場を離れていた。

「切放を利して破牢した七名をそれがしは追捕し、秩父、信濃、駿府、常陸、奥羽の五州を足掛け三月《みつき》にわたり引っ張りまわされました。鼠の久六こと金峰庸左衛門によってでございます。それはなぜか……」

金峰庸左衛門の狙いは、
一に金峰の里に隠しておいた蓄財金から目を逸らさせる事。

一に五街道の伝馬問屋を閉鎖始末する事。

一に新たな蓄財金の埋蔵場所を設ける事。

「……にございます。われらは金峰、内藤新宿、諏訪、浜松、宇都宮と金峰一族の拠点をすべて潰した。となると、どこぞに新たな隠し場所を必要とする」

「それがそなたは幕府伝馬町の牢屋敷というか」

秀信が問うた時、

「影二郎様、なんぞ布袋が出て参りました」

という善七の声がした。

「上げてみよ」

秀信の命に善七が穴の中にいた手下から厚地の木綿袋を受けとると、御戸前口から影二郎に差し出した。

袋は両手で抱えるほどの重さがあった。

「喜十郎、小柄《こづか》を」

身に寸鉄を帯びてない影二郎は、喜十郎から小柄を借りうけると、無造作に木綿地を切り裂いた。

袋は二重になっていたが、小柄の刃先が内側の袋をも切ると山吹色の小判が外鞘の床石にこぼれ出た。

五百両と想像された。

「なんとのう、牢屋敷の床下に不正の金を埋蔵いたすなど、金峰庸左衛門は悪知恵の働く不埒《ふらち》者じゃな」

南町奉行筒井政憲が慨嘆した。が、その顔はほころんでいる。

「おそらく鼠の久六としてこの牢に入ったことが、かような知恵を考え出させたものにございましょう。ここにおります菱沼喜十郎とおこま親子にそれがし、鼠の知恵に五州一川三灘、さらには幾多の峠と連れ回され、江戸を長いこと不在にさせられました。その間に半焼した牢の再建が続けられていた。普段は牢屋敷は警護も厳重にございますが、囚人のいない牢には気に緩みもございましょう。それがし、善七どのの棟梁の作業日誌を拝見して、床板と切石敷く前の土固めの折り、何日か作業を放置した期間があったことを知りました。その期日は、蓄財が金峰の里から十文字峠越えに荒川上流へ運ばれ、江戸に船で下った直後のことにございます。鼠はそれがしらを引き回し、江戸の作業から目を逸らさせた。飛脚の典助らの駿足を借りて、旅の空から指図していたものにございましょう。ともあれ金峰庸左衛門をお取り調べになれば、さらにはっきりいたしましょうか」

影二郎が推測を語る間にも次々に小判入りの袋が穴から引き上げられ、牢から牢庭へと運び出された。

今や数十袋を数えようとしていた。

「じゃが、牢にはつねに囚獄された者たちがおる。取り出す時はどうするのじゃな」

筒井が影二郎に聞いた。

「なあに金峰一族の者たちが微罪で牢に入り、外で待機する者たちと協力して赤猫を牢に入れて、切放を企てればよいことにございます」

「仮牢住まいの間に埋蔵金を掘り出すか」

「さよう、だれも幕府が管轄する牢屋敷の床下に十万余両が埋まっているなど考えもしますまい。これほど安全な蔵もございませんよ」

「なんとのう」

そう嘆息した筒井政憲が、

「秀信どの、よき子息を持たれたな」

と秀信を見た。

「水野様もお喜びにございましょう」

秀信も応えた。

「天保の大飢饉で財政が逼迫《ひっぱく》した折り、この金子は助かりますな」

緊張が解けた勘定奉行と町奉行が談笑する間に、床下に埋蔵された金袋が次々に引き出されてきた。それはいつまでもいつまでも続いた。

作業が始まってから二刻半（およそ五時間）が過ぎようとしていた。

「そなたが考えた額よりも多いではないか」

五百両入りの袋は牢庭にも外鞘にも山積みになっていた。

「影二郎様、こちらに」

と善七が呼び、影二郎は再び牢内に入った。

明かりに照らされた穴の幅はおよそ一半間、深さも一間ほど掘り下げられていた。

「側壁の土は掘られた痕跡がございませぬ。おそらくはこれだけかと」

「いくつあったな」

「二百三十二袋を数えてございます」

一袋に五百両が入っていたとすれば、十一万六千両ということになる。

およそ大名家三十万石の一年間の実収、幕府にとってもないがしろにできない額だ。

「善七どの、苦労をかけたな」

影二郎が車善七を労《ねぎら》い、善七が笑みを返した。

牢を出た影二郎に喜十郎が告げた。

「庸左衛門の出血激しくたった今亡くなったそうにございます」

「これで五街道の没収品を横領した事件の全容解明が絶たれたな」

「夏目どの」

と南町奉行の筒井紀伊守が影二郎の名を呼んだ。

「全容解明は塞がれた。が、こうして横領された蓄財金も戻ってきたのじゃ、よしとすべきではないか」

筒井の言葉で牢内に赤猫を入れての切放に始まった一連の事件の幕が実質的に引かれた。影二郎は牢を見回すと、

（三度は入りたくないな）

　と思いながら御戸前口を潜った。

　上野山下の永晶寺の境内には桜の花が満開に咲き誇っていた。

　黒小袖の着流しに一文字笠を被った夏目影二郎と若菜はあかをつれて、影二郎の母みつと若菜の姉萌が並んで眠る墓にお参りにいった。

　影二郎が二つの墓石を洗い流し、若菜が季節の花を飾って、香華を手向《たむ》けた。

　寺からの帰り道、若菜が、

「お奉行様は公方様よりお褒めの言葉を賜《たまわ》られたとか」

「おお、父上と町奉行の筒井様お二人は上様より直々にお言葉を賜ったそうじゃ」

「影二郎様にはなにかございましたか」

「うーむ」

　影二郎は憮然とした顔になった。

「どうなされました」

「十一万五千余両を不埒な輩から取り戻して御用金に加えたというに父からお叱りを受けた」

「お叱り、でございますか」

「おお、探索に金子を使い過ぎて、伊豆の代官所の公金を借りたとな。おれが探索に使ったのは百両にも満たぬ」

「まあ」

「仕方あるまい」

秀信は影二郎になにもせぬ代わりに車善七とその配下に勘定奉行からとして金一封を贈ってその労を労ったのだ。

「おれは若菜と、こうして一緒におられればそれでよい」

「影二郎様、当分江戸におられますな」

「いや」

と影二郎が答えた。

「またお奉行のお指図にございますか」

若菜が哀しげな顔をして、影二郎が首を振り、

「若菜、川越の両親の墓前に二人のことを報告に参ろうぞ」

と誘った。

「まあ……」

若菜が絶句した。

両の瞼《まぶた》がうるみ、こんもりと涙が盛り上がった。そして若菜の視界で影二郎の姿が涙の向こうに揺れた。

解説

縄《なわ》田《た》一男《かずお》
（文芸評論家）

「五街道の掃除人とでも覚えておいてもらおうか」――主人公夏目影二郎《なつめえいじろう》が本書で黒幕の一人に向っていい放つ、そんな台詞に接しつつ、思わず、待ってました、と声をかけたくなった読者もおられるのではあるまいか。まったく、このツボを得た展開といい、チャンバラファンをうならせる見せ場のつくり方といい、一体、佐伯泰英は、いつどのようにして、これほどまでの時代小説作法を身につけてしまったのであろうか。

佐伯泰英といえば、闘牛をテーマとしたカメラマンとして知られ、優れたドキュメンタリー『闘牛士エル・コルドベス1969年の叛乱』を発表、その後も、『ユダの季節』『ピカソ青の時代の殺人』『ゲルニカに死す』等、スペインの現代史に材を得たミステリーを続々と刊行。詩人ロルカの死の謎に迫った中篇等にも優れたものがあり、その方面の著作で堂々一家を構えていた。

それが、長篇『瑠璃の寺』で時代小説の分野に進出、この作品とほぼ同時に刊行した『密命・見参！寒月霞斬り』を第一作とする〈密命〉シリーズをはじめ、『古着屋総兵衛影始末』シリーズ、そして本書を第三弾とする〈夏目影二郎始末旅〉シリーズというように、今日では、三つの人気シリーズを書下ろし同時進行させる、という売れっ子ぶり。その中で、何とも驚きであったのは、つい昨日まで時代小説を書いていました、といってもおかしくないほど、第一作からしてベテラン時代作家の作品と見紛うほどの安定感を持っていたことであろう。以前より時代ものを愛好していたとは聞いていたものの、好きであることと書けることは別問題――しかしながら、佐伯泰英が、その稀有の才能の持ち主であったことを、私たちは、素直によろこぶべきであろう。

ところで、この〈夏目影二郎始末旅〉は、これまで『八州狩り』『代官狩り』が日本文芸社から刊行されていたが、本書からは光文社文庫のオリジナル書下ろし作品として登場。前二作も順次、本文庫に収録される予定である。といっても、それぞれ独立した物語として楽しめるので、本書から読まれてもまったく問題はない。いや、それどころか、本書はシリーズ最大級の規模を持った大作としてここに上梓されたのである。

主人公夏目影二郎は、もとの名は瑛二郎。料理屋嵐山の一人娘みつが、妻子ある三千二百石の旗本常磐《ときわ》豊後守《ぶんごのかみ》秀信《ひでのぶ》と恋に落ちて生まれた人物である。十四歳の時、みつが死んで、瑛二郎は秀信のもとに引き取られるが、継母や兄との折合いも悪く、己が出生に感じるところがあったのか、瑛二郎という名を捨てて影二郎として生きることになる。このあたり、いかにも影二郎の現在の役分を象徴しているように思えてならないが、「位は桃井、技は千葉、力は斉藤……」と謳われた、その桃井道場で、なまじ「位の桃井に鬼がいる……」といわれるほどの腕前だったのが災いし悪の道へとはしってしまう。そして挙句《あげく》の果《は》てが愛する女を地獄に落とした二足のわらじをはく香具師《やし》を斬り、あわや遠島《えんとう》に。そこを勘定奉行となった秀信に拾われ、関八州《かんはっしゅう》に大蛇《おおなた》をふるう特別任務を与えられることになるのである。いわば毒をもって毒を制す。道をはずした日陰の子には影の任務こそふさわしい——そんな思いからは、本来なら気の滅入《めい》るようなニヒリズムこそが生まれて来そうなものだが、影二郎の場合、そうした運命を従容《しょうよう》と受け入れる不敵さが悪を憎むパワーの源となって読者の共感を呼ぶのである。

そして、本書のストーリー自体にも、時代小説ファンを思わずニヤリとさせるような展開と、過去を描いて現在を映し出す合わせ鏡としての趣向が盛り込まれて、読者をぐいぐい引っぱっていく。

その第一に挙げられるのが、伝馬町の牢屋内で行われる赤猫まねきである。こうした牢内でのしきたりや奸策は、松本清張の『無宿人別帳』あたりから顕著に描かれるようになったが、そこで行われるのが、講談ネタで有名な牢奉行石出帯刀《いしでたてわき》の囚人たちの切放《きりはなし》——しかしながら作者は、そこで切放された囚人たちが約束を違えず戻ってくるか、などという使いふるされたストーリーには見向きもしない。

まずもって作中に展開するのは、切放された囚人たちの乱暴狼藉を黙視するしかない、幕府の無策無能ぶりである。作者はそのことについて次のように記している——「それもこれも徳川幕府二百年の幕藩体制の衰弱に他ならない。どこもがほころびを見せて、威令《いれい》は地に落ちていた」と。いつ、どこの国の話とはいわぬ、だが、今年に入ってから国内外の様々な事件に対し、打つ手を持たぬ政府のあり方を眼のあたりにして、もはや、自分の身は自分で守るしかない、と実感せざるを得ない私たちの現状にどこか似ていはしまいか。

加えて牢屋火事の一件からあぶり出されるのは、意外や道中方による巨額の公金横領の事実。そして影二郎に与えられた任務は、十余年間にわたって一味が横領蓄財した公金の奪還である。つまりは幕府も金がないのである。かくして、影二郎は、勘定奉行所監察方の菱沼《ひしぬま》喜《き》十郎《じゆうろう》・おこま父娘、愛犬のあかとともに、武州十文字峠から下諏訪、そして天竜から下田へと、死人の山を築きつつ、事件の真相に肉薄していく。

その中で、妙に気にかかるのが、影二郎らが関係者に聞きこみをしている時に得られる次のような答えではないのか。

いわく、「確かに当寺の普化僧《ふけそう》に神谷無門と申す僧がございました。が、二年前、駿州の宇津ノ谷峠で行き倒れているところを旅の方に見つけられ、——」。

いわく、「なんでも千曲川に流れ込む金峰《きんぽう》山川ぞいの金峰渓谷に昔から住んでおられるそうじゃ」「十数年前から盛り返されたそうな」。

いわく、「ところがだ、輿之吉《よのきち》が番頭に就いてあれよあれよという間に遠州屋を立て直した。

どんな手妻《てづま》を使ったんだかしらないが――」。

これら、背後に巨額の公金を動かすことによって現出したあまりにも不確かな人や家をめぐる死と再生――これら諸々のことどもは、あたかも、金があるという幻想の上に成り立っていたバブル狂奔期の空さわぎのようではあるまいか。とすれば、秀信が影二郎に下した命令、公金の奪還とは、あのバブル期に泡と消えた金を取り戻して来い、というようなものではないのか。この皮肉極まりない設定こそ、作者が本書に与えた格好のスパイスであるといえよう。

そしてそれを可能とするのが、影二郎らの抜群の決断力と行動力、そしてラストのどんでん返しを見抜く眼力なわけだが、それらに加えて欠かせないのが、浅草弾左衛門《あさくさだんざえもん》が関八州を中心に全国津々浦々にまで張りめぐらしているネットワーク、〝闇の幕府〟の存在である。また更に影二郎が喜十郎に向けていう次の一言、「それがしは徳川からの禄を食《は》んでいるわけではない。命を張るそなたとて下禄の身、老中ら高禄の方々は何をしておられるのか」が、私たちの今日の日本に対して叫びたい心の声を代弁した作者の反骨のあらわれでなくて何であろうか。

作中、挿入される「めでたやな、めでたやな。伊丹の里に魂蘇《よみがえ》り、一族そろいてめでたやな」というおはやしと共に行われる奇怪な念仏踊りのさまは、正に、新世紀を迎えても世紀末的状況から一歩も抜け出ることの叶わぬ私たちを取り巻く現在そのままではないか。

その中で、両裾に二十匁《もんめ》の銀玉を縫い込んだ南蛮長合羽を着込み、豪剣をたばさんだ影二郎は、不敵なヒーローぶりを発揮しつつ、政治と体制のしでかした諸々の不始末の後片づけをしていく。この笑って時代の後衛に甘んじることの出来る主人公の存在感は大きい、といわねばなるまい。しかも影二郎は、己が出生の影を乗り越えて前進する力強さを持っている。

「旅路が謎を解きほぐしてくれようぞ」。

作中、発せられるこの一言こそが、本シリーズの真骨頂であり、かつ、私たちも、この台詞にひかれて次なる巻を手に取るのではあるまいか。牢屋にはじまり牢屋に終わるという結構の中から、主人公の心は、はや次なる旅へと向うのであろう。そして、それはまた、日本人はもっと精神を解き放った方がいいのではないのか、という、情熱の国スペインからこの極東の小国を見たことのある作者のメッセージであるのかもしれない。

ますます次作が期待される所以《ゆえん》でもあろう。

編集部・注

本文中、一部、今日の観点では差別的な表現がありますが、江戸時代を描いた作品であり、当時の状況を理解していただくために、あえてそのままにいたしました。

光文社文庫

文庫書下ろし／長編時代小説

破《は》牢《ろう》狩《が》り

著者　佐《さ》伯《えき》泰《やす》英《ひで》

2001年5月20日　初版1刷発行
2008年6月20日　22刷発行

発行者　駒井　稔
印刷　豊国印刷
製本　関川製本

発行所　株式会社　光文社
〒112-8011　東京都文京区音羽1-16-6
電話　(03)5395-8149　編集部
8114　販売部
8125　業務部

ISBN978-4-334-73156-4　Printed in Japan

お願い　光文社文庫をお読みになって、いかがでございましたか。「読後の感想」を編集部あてに、ぜひお送りください。

このほか光文社文庫では、どんな本をお読みになりましたか。これから、どういう本をご希望ですか。どの本も、誤植がないようつとめていますが、もしお気づきの点がございましたら、お教えください。ご職業、ご年齢などもお書きそえいただければ幸いです。

光文社文庫編集部

光文社文庫　好評既刊

侍はこわい　司馬遼太郎
戦国旋風記　柴田錬三郎
若さま侍捕物手帖（新装版）　城　昌幸
白狐の呪い　庄司圭太
まぼろし鏡　庄司圭太
迷子石　庄司圭太
鬼火　庄司圭太
鷺　庄司圭太
眼龍　庄司圭太
河童淵　庄司圭太
写し絵殺し　庄司圭太
地獄舟　庄司圭太
夫婦刺客　白石一郎
天上の露　白石一郎
孤島物語　白石一郎
伝七捕物帳（新装版）　陣出達朗
群雲、関ヶ原へ（上・下）　岳　宏一郎

からくり偽清姫　竹河　聖
安倍晴明・怪　谷　恒生
ときめき砂絵　都筑道夫
いなずま砂絵　都筑道夫
おもしろ砂絵　都筑道夫
まぼろし砂絵　都筑道夫
かげろう砂絵　都筑道夫
きまぐれ砂絵　都筑道夫
あやかし砂絵　都筑道夫
からくり砂絵　都筑道夫
くらやみ砂絵　都筑道夫
ちみどろ砂絵　都筑道夫
さかしま砂絵　都筑道夫
異国の狐　東郷　隆
打てや叩けや源平物怪合戦　東郷　隆
前田利家 新装版（上・下）　戸部新十郎
忍法新選組　戸部新十郎